D1409681

LE RÉGIME DE MARY ELLEN

MARY ELLEN PINKHAM

LE RÉGIME DE MARY ELLEN

Traduit et adapté de l'américain par Constance Joël

ÉDITIONS ROBERT LAFFONT
PARIS

Titre original : HELP YOURSELF DIET PLAN
et HELP YOURSELF DIET DIARY

ISBN 2-221-01242-9
(édition originale : ISBN 0-312-51863-3 et ISBN 0-312-51861-7
St. Martin's/Marek, New York)

AVANT-PROPOS

J'ai déjà félicité Mary Ellen Pinkham, la nouvelle Mary Ellen Pinkham, qui pèse près de trente-cinq kilos de moins que lors de notre première rencontre. A vous d'être félicité maintenant de commencer à lire ce livre. Je crois qu'il vous passionnera et vous offrira plus d'une surprise. Il peut changer votre vie, si vous le désirez.

Lorsque Mary Ellen est venue nous voir, elle se plaignait d'une grippe : elle était fatiguée, vraiment crevée, fébrile. Mais même avant de tomber malade, elle ne se sentait pas bien dans sa peau. Elle était beaucoup trop forte et lasse d'observer continuellement, et en vain, un régime.

Elle m'a raconté qu'elle passait d'un régime à un autre, depuis une éternité, en enregistrant échec sur échec. Elle comprit que là était la clé de son problème, mais seulement lorsque je le lui expliquai. Elle était une victime du régime. Cette manie avait transformé son métabolisme si bien qu'elle ne pouvait plus espérer perdre du poids et s'y tenir.

Je ne suis pas un spécialiste de l'obésité, mais en tant que généraliste, je vois ce type de problème chez la moitié de mes clients environ. Il ne se passe pas de jour sans qu'on me demande conseil sur des problèmes diététiques. Les histoires qu'on me raconte sont souvent semblables à celles de Mary Ellen. Le patient a perdu du poids, régime après régime, puis a tout repris, souvent avec quelques kilos en prime.

Il m'a semblé que la plupart des gens observant un régime ne prenaient pas en compte certains principes scientifiques de base. Il paraissait possible de combiner un programme fondé sur de tels principes.

Lorsque j'ai appris à mieux connaître Mary Ellen et que nous avons évoqué l'importance de son problème, elle fut passionnée par l'information que je lui fis partager. Elle me dit que, pour la première fois, elle sentait qu'elle approchait la vérité sur les régimes et leur suivi.

Mes explications n'étaient pas bien compliquées, mais c'était à elle de passer des idées à la réalité lorsque nous aurions mis au point un plan, car nous nous étions mis d'accord pour qu'elle soit le cobaye qui devait prouver l'efficacité de nos recherches. Ensemble, nous avons trouvé les moyens de l'aider à changer son métabolisme et à se débarrasser de ses mauvaises habitudes alimentaires. Dès les premiers résultats, Mary Ellen s'est engagée à aller jusqu'au bout et s'est juré d'adopter cette manière de vivre tout au long de sa vie.

Voici donc son histoire et le programme qui a marché pour elle. Vous l'apprécierez certainement, parce que nous aimons tous les aventures qui se terminent bien. Ce qui vous plaira encore plus, c'est que d'autres peuvent aussi réussir. Ce plan, en théorie, est infaillible ; mais il exige du travail. J'espère que vous l'essaierez. Je souhaite qu'il ne soit pas seulement un succès pour Mary Ellen mais aussi pour vous.

Dr JOËL S. HOLGER

REMERCIEMENTS

J'aimerais remercier ici la multitude de ceux qui m'ont aidée, mais mon éditeur m'a précisé que je disposais de peu de place. Je citerai donc seulement quelques noms :

Dale Burg, ma collaboratrice de choc, dont les encouragements n'ont jamais cessé. C'est elle la meilleure !

Mon médecin traitant, le Dr Joël Holger, une découverte miraculeuse : un homme qui connaît par cœur l'ABC de la nutrition et quelques autres lettres... Je tiens à le remercier pour son soutien et sa patience.

Judith C. Goldberg, nutritionniste distinguée. Judith m'a apporté son appui moral à chaque instant et c'est un vrai trésor !

C.B. Abbott, dont l'ampleur des recherches a ébloui plus d'un nutritionniste. Les services secrets seraient fiers d'avoir un tel agent de renseignements en leur sein.

Walter C. Hewett, autrefois toujours en période de régime, actuellement conseiller en diététique.

Samuel Kaplan, mon avocat et aussi mon ami.

Enfin, Tom Oberg, George Cleveland, Kathy Rice et Wendy Lazear.

Je n'oublierai évidemment pas Andrew Pinkham, mon fils. Lorsqu'il a dit à sa maman qu'elle ressemblait à la grosse petite souris de Cendrillon, il a sûrement fait démarrer quelque chose...

J'aimerais partager mon plan diététique et mon histoire avec vous. Je crois que vous trouverez probablement une ressemblance entre nos deux aventures. Peut-être pouvons-nous partager la même « happy end ».

Mon métier consistait à résoudre des problèmes et j'y réussissais assez bien. La lecture de mon courrier me rendait fière : « Chère Mary Ellen, vous m'avez aidée dans une affaire que personne d'autre ne pouvait démêler. »

Mais, quand je me regardais dans la glace, j'étais effondrée. J'étais une spécialiste « pour trouver des solutions à tous les problèmes » ; cependant, j'étais en proie à une énorme difficulté contre laquelle je luttais depuis des années : mon poids.

Pendant des années, je me suis débattue avec lui. J'ai même, pour un moment, décidé de faire avec.

Puis, en janvier 1982, quelque chose s'est finalement déclenché. Ce fut l'étiquette du slip que je portais quand je me sentais grosse. Me sentir grosse ? J'étais grosse. Qui étais-je en train d'essayer de faire marcher ? Je racontais aux vendeuses que j'avais besoin des plus grandes tailles parce que je venais d'accoucher. La vérité était que mon « bébé » lisait déjà les journaux. J'étais enceinte depuis sept ans !

J'étais prête à commencer mon dernier régime, celui qui marcherait. Il fallait qu'il soit différent de tous ceux que j'avais précédemment suivis. Je l'ai trouvé et il a réussi.

PREMIÈRE PARTIE

A L'AIDE : MON HISTOIRE

1.

BANDE A PART

Parmi mes souvenirs de jeunesse, hormis un journal intime dans lequel j'avais scotché mon premier poil d'aisselle et une lettre frappée du tampon de la signature d'Elvis Presley déclinant mon invitation à dîner, on trouve un certificat des « éclaireuses du Minnesota ». Il atteste que j'ai été la championne, entre toutes les porteuses de l'uniforme kaki, pour vendre des gâteaux.

Tout le monde voulait savoir comment j'y arrivais. Voici la vérité : « j'étais ma meilleure cliente ».

Au cours de l'hiver 1957, mon corps était probablement à moitié composé des chocolats à la menthe des éclaireuses.

A partir de là, les choses ne furent plus jamais les mêmes. Certes le produit a varié, de même que les Chinois ont l'Année du Chien, du Coq ou du Dragon, j'ai eu mes années.

Après celle des biscuits au chocolat et à la menthe, il y a eu celle des pommes frites, puis du sandwich au thon. La mélodie changeait, le thème ne changeait pas.

J'ai presque toujours eu un problème de poids. Je n'en ai plus.

Si vous lisez ce livre, sans doute connaissez-vous le même problème : un problème de graisse. Vous ne vous sentez pas bien dans votre peau actuelle.

Pour moi, c'était dramatique. Dès que la surcharge pondérale dépasse trente kilos, cela devient sérieux. Des amis, qui ont toujours moins à perdre, me disent aussi que leur poids leur donne le même grave souci. Se transporter avec quelques kilos de trop les rend malheureux : leurs vêtements ne leur plaisent pas, ils sont mal à l'aise.

Ce sentiment retentit sur tous les aspects de la vie : le travail, les vacances, le choix du mari, la façon dont on élève les enfants...

Ma vie professionnelle a subi l'influence de ma graisse. Croyez-le ou non, j'ai une assez jolie voix. Je suis sûre que si mon poids n'avait pas été un handicap, je serais aujourd'hui cantatrice. Mais je me disais : « Mary Ellen, il faut maigrir avant de passer une audition. » Bien sûr Pavarotti n'a pas été intimidé, mais on n'écrit pas de rôle comme celui de Salomé pour les hommes.

Peut-être avez-vous eu la même attitude : « Je ne vais pas postuler pour l'emploi qui me conviendrait tant que je n'aurai pas trouvé mon poids idéal. »

« Je ne trouverai pas l'homme de ma vie, tant que je ne pèserai pas mon poids idéal, en fait je ne me sens même pas à l'aise à l'égard d'un type à qui je plais aujourd'hui, car, après tout, quel genre d'homme peut aimer une grosse dondon ? »

Que ce genre de raisonnement soit bon ou pas pour vous est discutable, mais le fait est que, dans notre société, il est difficile de se sentir bien dans sa peau, si l'on n'est pas mince et en forme.

Vous ratez plein de choses. Après la publication de mon premier livre, qui se révéla un succès, j'aurais tout naturellement dû offrir à ma famille et à moi-même de petites vacances, pas vrai ?

Faux. Les vacances, pour moi et pour la majorité des gens signifient des plages, c'est-à-dire, des maillots de bain.

Vêtue, j'étais un auteur à succès.

En maillot, j'étais... bon ! avouons-le ! Aucun vêtement de plage ne pouvait me convenir.

En fait, je n'ai pas débuté dans la vie avec un problème de poids important. J'étais un bébé bouclé. Dans ma famille, on disait que je ressemblais à une Coréenne orpheline de guerre, mais de toute évidence, ils ne savaient pas de quoi ils parlaient, puisque avec quatre kilos à la naissance, il était difficile de satisfaire à cette description.

Je n'étais pas un énorme bébé, d'autant que j'étais née à huit mois, mais je me situais dans les gros nouveau-nés.

J'ai dû adorer la nourriture dès le début, car je me souviens de mes premiers contacts avec des aliments solides ; difficile à expliquer, puisque ces souvenirs sont antérieurs au langage, mais je me rappelle que c'était le paradis.

Quand on est le premier enfant d'une mère attentive et affectueuse, on est bien nourri. Je l'étais. J'aurais pu être trop grosse, mais dès le cours moyen, ma mère s'inquiétait déjà d'une éventuelle surcharge pondérale.

Je ne crois pas au régime chez les petits. J'admire les parents qui n'embêtent pas leur progéniture au sujet de leur poids. Le problème disparaîtra avec des repas équilibrés et de l'exercice. Aujourd'hui, on se préoccupe plus de sa ligne que lorsque j'étais enfant, époque où l'on trouvait les Campbell mignonnes, à cause de leurs joues rondes.

Quand j'ai commencé mon régime, je me suis fixé un poids de 62 kilos, 7 kilos de moins que ce qu'aurait pesé la *Vénus de Milo* avec ses bras, si elle avait été créature de chair au lieu d'être de marbre.

C'est ce que je pesais à seize ans. Je n'avais rien d'un haricot. C'était « mon » poids et j'étais bien.

On considère généralement que le poids durant l'adolescence est celui qu'il faut garder une fois adulte. Ce devrait être votre but au cours de ce régime.

Si vous avez oublié combien vous pesiez, fouillez dans vos anciens dossiers médicaux, mais il y a de grandes chances pour que vous n'ayez pas à le faire.

Mon amie Gail, une intoxiquée des régimes, prétend qu'alors que les autres se souviennent des lieux où ils se trouvaient à certaines dates, elle se souvient de son poids. Ainsi elle sait que, lorsque Armstrong a posé le pied sur la lune, elle était descendue à 61 kilos.

Je ne suis pas la seule à avoir grossi depuis mon adolescence. Chose curieuse, dans les quinze dernières années, l'ensemble des Américaines ont gagné du poids tout en mangeant moins.

Ma famille a des origines suédoises et le régime suédois est assez « costaud ».

Mon grand-père était boucher. Ma mère a écrit un petit poème :

Mon grand-père est boucher
Ma mère découpe la viande
Et je suis un petit rôti
Qui court dans la rue

A la fin, ma grand-mère a préparé la viande, plus que ne le fit ma mère qui travaillait à l'extérieur. C'était une grand-mère modèle, tout en rondeur et douceur et elle adorait préparer le déjeuner pour mon frère, ma sœur et moi.

Mon repas préféré se composait d'un sandwich de beurre de cacahuètes et de pudding au tapioca. Après le sandwich, je dévorais deux bols de pudding. J'avais déjà avalé au petit déjeuner mes céréales et mon bacon ; et le soir je mangeais de la viande, des pommes de terre et un légume.

Grand-mère faisait aussi de la pâtisserie, des beignets, qu'elle saupoudrait de sucre une fois frits !

Elle ne nous en donnait pas un ou deux, mais dix. (Je cachais les miens pour qu'on ne me les chipe pas.) Ça c'était pour les grandes occasions. Nous n'avions pas des desserts et des biscuits aussi aisément qu'aujourd'hui.

Le gâteau figurait au menu une fois par semaine. Si on voulait vraiment en manger, on n'allait pas l'acheter, on le confectionnait. Si nous devions encore préparer ainsi nos repas, nous connaîtrions certainement moins de problèmes de poids sur le plan national. Avant d'avoir sorti les ustensiles, le batteur, la farine, le sucre et d'avoir découvert qu'il n'y a plus de vanille, l'envie serait probablement passée, alors que, dans le même temps, on dévore aujourd'hui un paquet de biscuits.

Avez-vous également remarqué que l'accroissement moyen du poids coïncide avec la diminution en nombre des membres de la famille ?

Ne riez pas, je crois que les deux choses sont liées.

Dans le bon vieux temps, quand on découpait un gâteau en famille, on n'en recevait qu'une tranche ; maintenant, trois personnes partagent un gâteau pour six. Ils en mangent donc deux fois plus. En outre, nous avons aujourd'hui les plats préparés, surgelés, en sachets...

Je mangeais ce que l'on me donnait et en grosse quantité. Je n'étais pas encore grasse, mais bien en chair, selon l'expression consacrée. Je brûlais ce que j'absorbais. Je bougeais sans cesse. D'abord, je ne me souviens pas, enfant, d'avoir vu un car de ramassage scolaire. Nous allions à pied à l'école, cela faisant cinq kilomètres par jour au moins. Après la classe, nous jouions dans la rue au ballon ou à taper dans des boîtes de conserve. Nous avions des corvées domestiques : le samedi, il fallait passer la tondeuse mécanique sur la pelouse, après quoi, nous dépensions le surplus d'énergie à sauter à la corde. A l'automne, nous ratissions les feuilles mortes, et en hiver, nous déblayions la neige, qui tombe dru et longtemps au Minnesota, puis nous faisions un bonhomme de neige.

Dans la maison il y avait du travail. Dès que je fus en âge de le faire, on me donna mon linge à repasser. Et c'est de cette époque que date, me semble-t-il, ma carrière de cuisinière...

En ce temps-là, on ne portait que du coton, du coton qui sort tout froissé de la lessiveuse. Il fallait humecter les vêtements, les rouler dans du papier et les laisser deux heures au réfrigérateur. Cela facilitait ensuite le repassage.

Et puis j'avais encore bien d'autres choses à faire, aussi je laissais parfois mon repassage pendant deux jours au frais. Le temps d'avoir utilisé tout mon linge et je sortais du réfrigérateur un trousseau moisi.

Une idée me traversa, un jour, l'esprit : j'allais congeler mes vêtements de façon à ne repasser qu'une pièce à la fois. A cette époque, il n'y avait que de petits compartiments pour faire les glaçons, à la place je fourrais mes fringues. On me persécutait en hurlant : « Mary Ellen, viens donc sortir ta blouse paysanne du congélateur. »

Même quand on regardait la télévision, il fallait un peu s'agiter, se lever pour changer de chaîne par exemple.

En fait, nous ne regardions guère le petit écran et ma mère se débarrassait toujours du poste pendant l'été. Mais nous avions fort à faire malgré tout. Le Minnesota est le pays des dix mille lacs et à chaque coin de rue de chez nous, il y en avait au moins quatre. La campagne était partout, donc nous avions toujours des cours de récréation privées. J'ai été un vrai casse-cou pendant mes douze premières années, grimpant aux arbres ou volant des pommes. Et puis, j'ai découvert les garçons.

A l'époque de mon adolescence, le chic, c'était d'être inactif. Si l'on avait la chance de traîner avec une bande dont un membre possédait une voiture, on était vraiment populaire. On n'allait nulle part à pied et on serait mort plutôt que de monter sur une bicyclette.

Cette dernière était réservée aux simples d'esprit pour aller à l'école.

La beauté proscrivait toute activité physique, les vêtements de coton se froissaient si vite ! Nous n'avions pas les fibres miracles actuelles. Aujourd'hui, on enfile le matin un pantalon de polyester, on fait une journée d'équitation et l'on s'en sort sans un faux pli.

Et les coiffures ! On torturait les cheveux pour les faire tenir. On s'installait sous le séchoir pendant des heures à somnoler ou l'on dormait la nuit avec ses rouleaux. Ce qui m'étonne c'est que nous n'ayons pas toutes attrapé des plis permanents sur la peau du crâne. Je mettais des bigoudis de taille moyenne, ce qui signifiait que toute ma tête était toujours à cinq centimètres au moins de mon traversin. Ma meilleure amie, elle, enroulait ses cheveux sur des boîtes de jus d'orange et dormait assise. Le matin, on enlevait tout le matériel et on inondait de laque l'édifice. Il fallait que la chevelure ait l'air à l'épreuve des balles. Une fille, qui voulait garder belle apparence, savait qu'elle devait se mouvoir lentement pour ne pas déranger sa toilette ou endommager sa coiffure.

Jusqu'alors, j'avais été bonne en gymnastique. Bonne aussi au basket, à la course et au saut. Je m'étais toujours sentie un peu incomplète, car j'étais nulle à la corde lisse ou à nœuds, mais soudain je me mis à sécher le cours de gym. En partie, à cause des douches. Cela ne m'inhibait pas au point de me dissimuler dans mon placard, mais j'étais pudique et j'étais soucieuse de garder une coiffure présentable.

C'était le moment précis de l'existence où, plus que tout au monde, c'est l'apparence qui compte et on voulait que j'aille en classe faire une centaine de flexions et ressortir la tête trempée.

Le jeu consista donc à éviter le cours de gymnastique.

Chaque printemps me voyait, plus subtile encore, sécher des marathons idiots. Nous ne courions pas de l'hiver, mais pour une obscure raison, le professeur de gymnastique estimait que c'était bon de nous envoyer courir nos six kilomètres dès qu'il voyait poindre un narcisse. Aujourd'hui on sait que cette petite plaisanterie peut tuer. On ne le savait pas alors.

Quelques amis avaient quitté l'école et je les appelais au secours. Je courais environ de quatre cents à cinq cents mètres et me faisais ramasser dans une vieille guimbarde à la capote baissée, printemps oblige ! Nous allions boire un Coca et on me déposait à quelques mètres de l'école, au retour d'une course raisonnablement longue. Je n'ai jamais cherché, par prudence, à établir un record, c'eût été de la provocation.

Mais malgré cette relative maturité physique de mon adolescence, mon appétit n'avait pas fléchi. Peu à peu je pris du poids, sans savoir vraiment pourquoi.

Je commençais alors à me restreindre, comme les gens de mon âge, consommant un beefsteak haché, des frites, du Coca-Cola, une fois par jour, et grignotant le reste du temps.

Je n'avais jamais eu de vrai problème de poids, mais je ne mincissais pas.

Ainsi s'enclencha le cercle vicieux.

2.

LA PHOBIE DU GROS

Un jour, en allumant la télévision, j'ai vu deux médecins en train d'évoquer le moment où, historiquement, les premiers régimes ont démarré. J'ai trouvé étrange qu'on essaie de mettre une date sur ce fait de société. Les spécialistes ne peuvent pas la donner à un an près, mais ils estiment tous que les régimes sélectifs ont vraiment pris vers le début des années cinquante.

En 1959, avec quelques amis, j'avais commencé un de ces régimes, « le Minnéapolis », composé de :

Coca-Cola à volonté, pistaches à volonté, et ainsi de suite, lundi, mardi, mercredi, jeudi, vendredi, samedi et dimanche, toute la semaine...

Puisque nous devions manger un seul type d'aliment, nous avions choisi celui que nous aimions tous !

Ce régime avait deux caractéristiques que j'ai ensuite toujours recherchées, « amaigrissement rapide » et « consommation à volonté ».

Ainsi, ce qui m'avait attirée en premier, devait plus tard être connu sous le nom de régime « Atkin » et expliqué dans un livre intitulé *Les calories n'ont pas d'importance.*

A ce moment-là, j'y croyais. Après tout, qui pouvait dire avoir déjà rencontré une calorie ?

Dans *Les calories n'ont pas d'importance,* on utilisait très peu d'hydrates de carbone ou de glucides. J'avais étudié à l'école les aliments constitués de protides, lipides ou glucides, et j'achetais un livre donnant la teneur en hydrates de carbone de tous les aliments courants, pour éviter ceux dont le chiffre était élevé. En revanche, je continuais à prendre mon Coca-Cola, même si c'était ma ration complète de glucides autorisée pour la journée. J'ai fait des restrictions et j'ai perdu du poids temporairement.

J'ai recommencé ce régime quand il est sorti sous le parrainage du Dr Atkin. J'en ai aussi suivi un autre où l'on consommait beaucoup de protides et une énorme quantité d'eau tout en obtenant des résultats spectaculaires.

Ce n'était pas là un régime à recommander à n'importe qui, et en particulier pas à une caissière de supermarché.

J'adorais ce régime parce que je pouvais manger toute la viande que je voulais, et de toutes sortes.

J'engloutissais quatre côtes de porc arrosées d'un litre d'eau par dîner. J'ai beaucoup maigri en un seul week-end, mais j'ai tout repris le week-end suivant.

A l'école, on apprend que le corps doit être en état d'équilibre. Tout ce qui entre ou sort, maintient cet état. Avec ces régimes sélectifs, on détraque tout le système.

Il existe plusieurs variétés de régimes restreints en glucides, mais augmentés, soit en lipides, soit en protides. Leur arme secrète est la cétose. La théorie repose sur le fait que le volume et la complexité des molécules protéiques nécessitent une plus grande énergie pour leur digestion et qu'on peut brûler chaque soir les excès de calories simplement en mangeant un surplus protéique. On peut alors éliminer un sous-produit du métabolisme des graisses (appelé corps cétoniques) qui contient des calories non absorbées. Mais celles-là ne peuvent pas excéder le contraire ! De plus, nausées, faiblesses et fatigue accompagnent ces régimes. On détruit aussi ses muscles, on fragilise ses os et par-dessus tout, on a mauvaise haleine.

J'ai fini par croire que l'amaigrissement était proportionnel à la fétidité de cette dernière !

Comme si je n'avais pas assez de problèmes !

Vers les années soixante, j'ai découvert le régime à base de vinaigre et de miel. On avalait avant chaque repas un plein verre de ces deux ingrédients mélangés avec de l'eau chaude. La seule certitude qu'on avait avec ce régime, c'était de perdre ses dents ! Je ne l'ai pas poursuivi bien longtemps.

les régimes intitulés d'après le nom d'un aliment furent alors en vogue. Je les ai tous essayés. J'attendais avec impatience la sortie des derniers magazines féminins pour tout savoir au sujet des plus récents d'entre eux.

J'ai suivi le régime « fromage blanc », « pomme » et « pamplemousse ». J'en ai même inventé un que j'avais baptisé « choucroute ». J'étais persuadée que tout ce qui avait un goût terrible ferait sûrement brûler les graisses. A cette époque, je ne pensais qu'à ça. Personne ne m'avait dit que c'était une galéjade !

Devinez ce que j'ai découvert. Il n'existe pas une seule conserve qui contienne plus de sel que la choucroute. Si vous savez tout sur le sel, vous pouvez imaginer qu'avec ce régime, on ne maigrit pas beaucoup. Maintenant, je hais vraiment la choucroute.

Mon amie Mélissa a mieux réussi avec son propre régime. C'était un programme de « fast food ». Elle a passé une semaine à prendre ses repas chez Mac Donald. Dès qu'elle se levait le matin, elle allait chercher des hamburgers et des frites, de même pour déjeuner. Évidemment, au bout d'une semaine, elle s'est lassée de ces plats et a indirectement diminué sa ration calorique. Elle a perdu deux kilos, sans les reprendre pendant cinq jours environ.

Pendant ce temps, j'en étais à mon régime « pamplemousse », qui consistait à boire de grandes quantités de ce jus de fruits avant chaque repas. Pourquoi ? ça brûle les graisses, bien sûr !

Et puis il fallait manger un œuf avec une tranche de bacon, deux tranches avec deux œufs, trois tranches avec trois œufs. J'aimais le bacon, mais les règles étaient précises : quand on mangeait quatre tranches de bacon, on s'avalait aussi quatre œufs.

Plus tard, j'ai compris que ce régime était probablement inspiré par l'Association des éleveurs de volailles ! Sur le moment, j'étais contente parce que je perdais du poids.

Le jour où j'ai de nouveau grossi, j'ai entendu parler du régime « Mayo ». La clinique Mayo refusait d'encaisser un sou pour ce régime, peut-être parce qu'elle était aussi en cheville avec l'Association des éleveurs de volailles ! Avec cette méthode, on mange aussi deux œufs à chaque repas. Les jaunes, en plus de leurs soixante-quinze calories chacun, sont chargés en cholestérol (ils ne brûlent pas les graisses). A cette époque, je l'ignorais. Je trouvais ce régime intéressant et je le suivais fréquemment.

Jusqu'au moment où j'en ai découvert encore un autre, le régime « ski alpin », qui ressemblait au précédent, mais au lieu de deux œufs, on en prenait un seul. En fait, on en mangeait deux le matin, puis un à midi et un le soir. Je n'ai jamais su pourquoi ce régime s'appelait « ski alpin ». Peut-être parce qu'il était lancé par l'Association des éleveurs de volailles suisses !

Ces régimes avaient tous en commun le fait d'être carencés en quelque chose.

Par quelque chose, je ne parle pas des mets inutiles : des gâteaux ou des biscuits, mais bien des aliments qui font partie de la nourriture quotidienne de tout un chacun. Avec certains régimes, on ne peut même pas manger de fruits. Ce n'est pas vraiment ma passion, mais je suis prête à tuer pour des fraises ou une pomme, si l'on me dit que je ne peux plus en consommer. C'est pour ça que je n'ai jamais pu prolonger un tel régime plus de deux semaines.

Naturellement, j'étais attirée par les régimes qui me garantissaient que je ne me sentirais pas complètement frustrée. Les auteurs pensent à des gens comme moi, quand ils publient des livres qui donnent une impression de facilité : « Le Régime de l'alcoolique » ; « Mangez, buvez et devenez mince » ; « Bourrez-vous jusqu'à la sveltesse » ; « Mangez comme des cochons en fondant comme neige au soleil ». Lequel, pensez-vous, est un best-seller ?

J'ai suivi absolument tous les régimes qui ont été conçus et publiés, plus quelques-uns dont on m'a fait part verbalement. Par exemple, le régime « gamelle » inventé par mon amie Marcia. Avec celui-là, on choisit n'importe quelle taille de récipient et on le remplit trois fois par jour de tout ce qu'on veut, mais seulement une fois par repas. La théorie repose sur le fait qu'on peut manger de la glace, mais qu'on ne la mélangerait pour rien au monde avec un beefsteak.

Sandy m'a refilé son régime « trois aliments ». Pour l'un d'entre eux, j'avais sélectionné « les beignets ». Je les prenais tellement gras que, lorsque je marchais pieds nus, je risquais de glisser !

Bambi me donna sa formule magique : elle se faisait une règle de manger seulement la nourriture convoitée à un moment particulier, la plus exotique possible. En d'autres termes, lorsqu'elle avait une envie irrésistible de veau au parmesan, il lui fallait trouver un restaurant où l'on en servait. L'idée était que plus longtemps on mettait à trouver la nourriture recherchée, plus longue était la période d'abstinence. C'était une excellente chose du temps où la cuisine exotique était rare, quand les seules personnes à connaître les spécialités mexicaines étaient des Mexicains. Aujourd'hui, on en trouve presque partout. Je n'ai jamais cessé de prendre et de laisser tomber ces régimes pendant des années. Quand je n'étais pas en train de grossir, c'est que j'étais en train d'en suivre un et à ce moment-là, je lisais des livres de cuisine. Mes amis me téléphonaient et je leur demandais : « Puis-je vous rappeler ? Je suis occupée. »

Je commençais chaque soir un nouveau régime, sans attendre d'être à lundi.

Je n'allais pas consulter de médecin, parce que la plupart d'entre eux n'avaient pas été compréhensifs. L'un de ceux-là m'avait dit de ne pas revenir avant d'avoir perdu dix kilos. Un autre m'accueillit par un « Hum ! cela ressemble à une vraie cargaison de bœufs ! » Non seulement je n'aimais pas me restreindre, mais je ne voulais pas non plus être confrontée à une balance.

Et puis j'ai entendu parler d'un médecin qui ne pesait pas ses patients mais qui les mesurait seulement.

Il faisait des piqûres tous les jours avec quelque chose extrait, si j'ai bien compris, d'urine de vaches.

Rien que ça aurait dû couper l'appétit de ses clients ! mais non ! Et au cas où cette technique échouerait, il leur ordonnait de ne pas consommer plus de deux petites portions de viande et de légumes, deux fois par jour. Personne ne mangeait beaucoup dans ces conditions, mais tout le monde pensait que l'astuce résidait entièrement dans ces injections magiques.

J'aurais aussi bien pu voir le médecin de mon amie Harriet. Elle lui a été fidèle pendant quinze ans. Il habite, comme elle, Manhattan, mais elle lui fait croire qu'elle est de Philadelphie.

Tout ça parce qu'il prend dix fois moins cher pour les patients qui vivent ailleurs ! Elle lui téléphone en disant : « Docteur, c'est moi, Harriet, j'appelle sur longue distance. »

Mais j'ai rejeté ces deux solutions et je suis allée voir celui d'Alice. En fait je n'y suis pas réellement allée. Il fallait perdre dix kilos avant. En attendant, on doit consulter ses assistants qui prescrivent quantité de pilules de couleurs différentes. Pour se donner un air important, ces jeunes disciples vous prennent la tension dès votre arrivée.

Les pilules sont à base de vitamines et d'amphétamines. Elles furent efficaces pendant quelque temps, mais je leur devins bientôt totalement résistante. Cela me faisait parfois même manger plus vite.

Je me suis tout à coup trouvée en train de mettre de l'ordre dans ma vie et de téléphoner à des gens que je n'avais pas vus depuis des années. Lorsque les médicaments n'ont plus agi, je me suis retrouvée avec la perspective de nombreux déjeuners en compagnie de gens dont je me souvenais à peine. J'ai aussi fait tout un tas de listes du genre : les invités pour une réception prévue dans cinq ans et les vêtements que j'achèterai en 1995.

Quelques années avant, mon amie Sandy m'avait invitée à Los Angeles pour voir son médecin. Il faisait palper sa patiente par son infirmière, puis il palpait celle-ci, et de cette façon recevait des intuitions divines, qui lui permettaient de découvrir les aliments auxquels Sandy était allergique. En arrêtant leur consommation, elle maigrissait. Il lui raconta aussi qu'elle prendrait du poids, si elle s'habillait en vert.

— C'est complètement fou, lui dit-elle.

— Essayez, répondit-il.

Avant même que je prenne la décision de venir, Sandy en dénicha un autre dont elle jura qu'il était encore mieux. Un nutritionniste-chiropracteur, double spécialité qui semble en vogue encore à Los Angeles. Ces praticiens deviennent de plus en plus cinglés au fur et à mesure que leurs cabinets se rapprochent de la plage.

Il était, lui aussi, spécialisé dans les allergies alimentaires. Sa méthode consistait à appliquer les aliments sur le corps pour identifier ceux auxquels ce dernier réagissait.

Je me le représentais, mettant du caramel sur les avant-bras et des asperges sur le ventre.

Il n'eut jamais aucun contact avec mon abdomen. Ce fut mon gynécologue qui arriva le premier et pour me dire que j'étais enceinte.

3.

LA MAÎTRESSE DE MAISON HIPPIE

J'étais enceinte à vingt-neuf ans, mariée depuis six ans. Je m'étais toujours imaginée en jeune mariée de juin, mais cela se passa en mars. Heureusement, la neige n'a pas dérangé la cérémonie et j'avais prévu un « petit » mariage. Je ne sais pas pourquoi j'étais empruntée. Tandis que je participais à des shows télévisés, sans aucun trac, je ne me sentais pas dans mon assiette. Après la cérémonie, la noce s'est rendue dans un restaurant pour fêter l'événement — dans quel autre endroit aller du reste ?

Je pesais environ 65 kilos ce jour-là. J'étais déjà parvenue à un poids inférieur, mais ma demande en mariage fut suivie par une rechute immédiate et l'abandon à toutes mes faiblesses.

J'ai pensé à mon amie de classe, Gail, qui, chaque année, laissait tomber ses régimes dans la minute qui suivait une déclaration. Une fois que le type est levé, expliquait-elle, on peut recommencer à manger.

Avec mes 65 kilos, on me trouvait assez belle. Pourtant j'étais insatisfaite. Jusqu'à ce que je termine le régime « Mary Ellen », je ne me souviens pas de m'être sentie bien dans ma peau. Je crois que c'est le problème d'un grand nombre de gros. Ils laissent tomber leur régime parce qu'ils sont insatisfaits. Même quand ils ont atteint leur but, ils ne croient pas être assez minces.

J'ai lu une étude sur des gens qui se décrivent au début et à la fin d'un régime. Ils se voient d'abord plus minces qu'ils ne sont puis, après, ils s'imaginent toujours plus forts. Acquérir une bonne image de soi demande du temps. De toute façon, avec mes 65 kilos, je n'étais pas heureuse. Je souhaitais que le chiffre, indiqué par la balance, change : et c'est arrivé — jusqu'à 80 kilos. J'ai « encaissé » 15 kilos en six mois, puis je me suis stabilisée.

Tout le monde me disait que je n'avais pas l'air mal, mais personne n'est allé jusqu'à me dire que j'étais superbe. Je ne sais pas très bien comment j'ai pris tout ce poids. Bien sûr, je mangeais beaucoup de viande. Pour ceux qui n'en ont jamais mangé, il est de mon devoir de vous raconter à quoi ressemble un steak à la poêle. Vous prenez un steak et vous l'attendrissez avec une masse, puis vous enlevez le gras. Vous chauffez une poêle, y jetez du gras, jusqu'à ce que ça fonde un peu, puis vous y balancez le steak. (J'espère que cela ne poussera pas le lecteur à se diriger droit vers la cuisine, mais je crois que la recette vaut le coup d'être partagée. Donnez-la à vos amis minces.) De toute façon, je peux probablement attribuer mon surpoids du début de mon mariage au steak à la poêle.

Ce problème n'a jamais préoccupé mon mari, Sherm. Il m'a toujours dit qu'il me trouvait séduisante, et je veux surtout qu'on comprenne qu'il n'est pas question de lui faire endosser une quelconque culpabilité, mais que souvent les gens qu'on aime collaborent à vos soucis.

Par exemple, alors que j'avais fait attention pendant une semaine, brutalement j'avais une envie terrible et déraisonnable de glace. Cela arrive aussi aux gens minces, mais j'étais trop forte et il est impossible de faire la fête quand on est trop gros et qu'on ne s'active pas du tout.

Quoi qu'il arrive, Sherm sortait toujours et me rapportait cette glace. Tandis qu'il prenait pour lui une petite glace, j'avais droit à une ou deux maxi-glaces. Après avoir mangé, je lui disais toujours : « Ne recommence plus jamais. » Il comprenait et me disait qu'il ne le ferait plus. J'ajoutais : « Maintenant il faut me promettre. Si je te dis d'aller me chercher des hamburgers, tu dois refuser. »

Mais je pouvais toujours parler. Sherm est normal. Il ne voit rien de mal à manger des glaces ou des hamburgers. Il pense, comme les gens normaux, en une seule quantité et pas en plusieurs : un hamburger, pas un plein sac ; une boule de glace, pas un plein bol.

Je me souviens d'un dessin animé qui était une suite de tableaux. Chaque image comportait la même femme avec le même long visage. Dans la première scène, elle disait : « Je ne peux m'empêcher de penser que tout irait mieux si j'étais mariée. » Puis la scène suivante : « J'aurais un meilleur emploi si j'étais mariée. » Et, « J'habiterais dans un appartement plus agréable. » Finalement, en avant-dernier plan, « Je me dis que je serais plus heureuse si j'étais mariée. » Enfin : « Mais je me souviens, je suis déjà mariée. » Que je sois ou non mariée, avec ou sans Sherm pour aller me chercher des hamburgers ou des glaces, j'aurais eu mon problème de poids. Pendant des années, j'ai essayé de le résoudre régime « marotte » après régime « marotte ». Puis au bout de six ans de mariage, j'avais la bonne nouvelle : j'étais enceinte.

Nous étions tous les deux enthousiasmés. Le bébé devint le centre d'intérêt de nos vies. J'allai devenir une mère parfaite. Je me reposerai beaucoup, je cesserai de fumer.

L'idée de faire de l'exercice physique ne m'a jamais traversé l'esprit, bien sûr. Ou bien si c'est arrivé, je l'ai aussitôt écartée. Je croyais réellement que cela pouvait être dangereux pour le bébé. Certaines femmes ont la nausée le matin. Ce sont les plus veinardes. Les autres, comme moi, ont tout simplement encore plus faim. Je mangeais correctement la plupart du temps, mais pas pour deux. Je mangeais soudain pour moi, le bébé et des quintuplés.

J'ai commencé à aller à mes restaurants favoris y dévorer toute la carte. Puis j'ai embrayé sur les « Big Mac » comme en-cas. Pas seulement un « Big Mac », mais des sacs entiers.

Ma voiture en était pleine. Sherm a même pensé appeler le bébé « Petit Mac » !

Je n'avais pas l'air enceinte. Je veux dire que mon estomac ne pointait pas, mais mon corps envahissait tout ce qui était autour de l'abdomen. J'étais carrée. Je m'en foutais. Découvrir les vêtements de grossesse me mit en transes : j'avais cherché toutes les grandes tailles pendant des années. Je ne voulais pas m'inquiéter pour mon poids. Délibérément, je choisis une grosse accoucheuse.

Comment aurait-elle le culot de me dire de maigrir ? Elle n'en fit rien et je continuais à manger tandis que je devais monter sur la balance à chaque contrôle médical. Je ne pouvais pas ignorer que mon poids était en pleine inflation.

J'avais lu tous les livres rapportant combien il était dangereux de trop grossir en attendant un enfant et je commençais à avoir peur.

Arrivée à ce stade, je ne m'étais jamais considérée comme une énorme mangeuse. Je me croyais comme toutes les autres Américaines toujours au régime pour éviter de grossir. Je commençai alors à m'inquiéter. J'avais peur de couler à pic. Quelqu'un me conseilla d'aller consulter un psychiatre. Celui-là avait l'habitude des problèmes comme le tabagisme ou le poids. Rétrospectivement, cet épisode de ma vie me fait rire, mais sur le moment, ce n'était pas drôle. Je pris rendez-vous et racontai toute mon histoire sans en omettre un détail sauf les recettes de ce que je mangeais.

Quand j'eus fini, cet homme m'a regardée droit dans

les yeux et m'a dit que toutes les obsessions étaient une façon de supprimer mon désir sexuel. Il ajouta alors que lorsque j'avais une envie de nourriture, je devais essayer de combler le manque sous-jacent. En d'autres termes, lorsque j'avais une envie de deux assiettes de spaghettis, je ferais mieux de faire l'amour. A son avis, cela résoudrait mon problème.

Mon mari travaillait de 8 heures à 17 heures et s'absentait les week-ends ; je prenais trois repas par jour et au moins deux « Big Mac ». J'avais aussi des envies de nourriture en conduisant ma voiture, au cinéma ou au supermarché. J'étais tellement déprimée en sortant de chez ce psychiatre que je m'arrêtai, sur le chemin, chez Mac Donald. C'est la vérité. Je suis retournée voir ce médecin une seconde fois, parce que je croyais avoir rêvé tout ça à cause de mon état, mais lorsqu'il me donna à nouveau le même conseil, je n'y retournai plus jamais. Je crois qu'il fut interdit d'exercice environ un an plus tard.

Pendant ce temps, je continuais à manger. Je craquais dans mes vêtements de grossesse. J'ai appelé des amies pour tenter d'avoir leur sympathie.

Les neuf mois s'écoulèrent. Finalement, tôt un matin, je perdis les eaux. J'étais folle de joie. Je me traînai jusqu'à ma voiture et me ruai vers l'hôpital. Je fus pesée séance tenante. La petite future maman tournait autour des 96 kilos. J'étais déjà dilatée de trois centimètres lorsque le médecin vint m'ausculter. Difficile à croire, pourtant c'est vrai : elle n'a pas trouvé le bébé !

Inutile de dire que cela m'a rendu un peu nerveuse. Le médecin me faisait pousser et je pensais : « Mon Dieu, vous n'allez pas me dire que je ne suis pas enceinte. » Heureusement un petit tour en radiologie confirma qu'il y avait bien un bébé. Il se recroquevillait dans un coin et s'accrochait sur un côté probablement pour faire de la place à tous les « Big Mac ». Je ris nerveusement en écrivant ces lignes, mais sur le moment ce n'était pas joyeux !

Andrew Strelon Pinkham naquit six heures plus tard. Il pesait un peu moins de 3 kilos et sa mère 96 ! Je fus la seule femme de l'histoire à ne pas perdre un gramme après la délivrance. Évidemment, il y aura sûrement des médecins pour dire que c'est médicalement impossible. Je leur rétorquerai que les balances du cabinet de consultation et de la salle de travail ne devaient pas avoir la même tare, mais indépendamment de cette considération, cette histoire n'a rien fait pour me sortir de ma dépression du post-partum.

J'ai été hospitalisée sept jours et j'étais la plus vieille mère de l'étage. J'avais vingt-neuf ans. A cette époque, je me sentais la plus âgée et la plus affaiblie. Je pensais qu'il me fallait, plus encore que les autres mères, retrouver mes forces. Comment ? En mangeant, bien sûr. En plus je pensais que cela pourrait guérir mes coups de cafard survenus après l'accouchement. Je ne voulais recevoir aucune visite. Je dis à mes amis : « Pas de fleurs, des choses qui se mangent. » J'engloutissais tout ce qui se trouvait dans les corbeilles de fruits qu'on m'offrait, excepté le papier cellophane ! J'ai même avalé la nourriture de l'hôpital tellement j'étais déprimée. La soupe ressemblait tant par son aspect que par son odeur à de la colle de papier. On aurait pu déguster les œufs brouillés à la paille. Les glaces crissaient sous les dents.

Je fus prête à rentrer chez moi quand je commençai à allaiter. On m'avait dit que cela me sauverait. Non seulement ce serait merveilleux pour le bébé, mais cela m'aiderait à maigrir et à me remettre d'aplomb. Ma grossesse m'avait rendue particulièrement plantureuse. Je faisais attention à tout aliment qui pourrait être néfaste à mon enfant. Je cessai de donner le sein à Andrew à trois mois et ce fut la première fois où le pauvre chéri comprit qu'on pouvait à la fois voir et manger... Maintenant qu'Andrew démarrait bien, à moi de commencer un régime. Je mis tous les aliments préférés en réserve : beefsteak, côtes de porc, œufs, beurre, mayonnaise et quelques légumes à faible teneur en hydrates de carbone. Docteur Atkins, vous m'avez presque tuée. J'ai pratiqué votre traitement et acheté la moitié de la viande du supermarché. J'estimais que ces produits — riches en calories et en cholestérol — étaient des produits miracles.

Je me suis cramponnée au régime pendant quelque temps. Puis j'ai commencé à décrocher. Je rêvais d'abord uniquement de pain. Puis je commençai à tricher. Une pomme de temps en temps. Une banane ici et là. Je continuais à maigrir. Évidemment, maintenant je comprends que ce n'était pas le fait de manger ou non qui était à l'origine de mon amaigrissement. Je perdais du poids parce que j'étais sur pied vingt-quatre heures sur vingt-quatre pour la première fois depuis longtemps. Les biberons de la nuit, de l'aurore, les courses, les promenades au parc, les changes, la lessive. Je tournais en rond. Mais je croyais toujours que mon régime miracle faisait tout.

J'atteignis les 80 kilos.

Bien sûr, mon corps n'était pas exactement comme avant. Un conseil pour les filles enceintes : allégez-vous, sans attendre, juste après la naissance. La poitrine et le ventre en voient de toutes les couleurs et ne deviennent — hélas ! — jamais exactement comme avant. Et puis, l'âge joue aussi de vilains tours. Peut-être n'est-ce pas seulement sa faute, mais aussi celle des lois de la pesanteur et des régimes. Lorsqu'on ne cesse pas de maigrir et grossir, le corps en prend un coup, comme cela m'est arrivé. Il est de plus en plus difficile de se sortir du cercle vicieux.

Je décidai de reprendre mon travail et au bout d'une semaine, je commençai à reprendre du poids. J'étais retombée dans la routine : café à la maison, voiture jusqu'au bureau, assise quatre heures d'affilée, déjeuner, encore assise, voiture jusqu'à la maison, dîner, télévision. Je ne bougeais presque jamais. Si j'avais perdu l'usage de mes jambes, je ne m'en serais pas aperçue avant une semaine.

J'étais maintenant une adepte des régimes. Il ne se passait pas un jour sans que je me mette au régime ou que j'envisage de le faire. J'oscillais entre 80 et 96 kilos une dizaine de fois en sept ans. Mon corps était sens dessus dessous. J'étais complètement flasque. Peu importe ce qu'affichait la balance. De toute façon, j'avais le même aspect : j'étais boursouflée et ramollie. Des années auparavant, même à 80 kilos, j'étais assez jolie. Maintenant, au même poids, je ne ressemblais plus à rien. Mon corps avait la consistance d'un *water bed*. Les régimes l'avaient complètement foutu en l'air.

4.

LE SUCCÈS VINT DE MA TAILLE

Le seul gros personnage qu'on ait vraiment vu à la télévision était Alfred Hitchcock, qui donnait dans l'étrange. Nous étions lui et moi les rares exceptions du petit écran où tout le monde, des concurrents des jeux télévisés aux héros des feuilletons, est toujours en superforme physique.

J'ai fait mes débuts à la télévision pour lancer mon livre *Les meilleurs trucs de Mary Ellen,* publié en 1979. Comme la plupart des auteurs, je m'intéressais à la promotion de mon ouvrage et l'équipe de publicité me conseilla de prendre moi-même mon bâton de pèlerin.

A l'occasion de ma première apparition, je portais un pantalon bleu vif et une blouse ample, qui devinrent mon uniforme, un peu comme les tenues d'Orson Welles. Je croyais que cela me donnait l'air de la parfaite femme au foyer — ce qui était probablement le cas — mais aussi que cela me faisait paraître plus mince — ce qui n'était définitivement pas le cas ! Je ne me tourmentais pas à ce sujet, à l'époque et bien longtemps après, j'aurais préféré me faire arracher une dent sans anesthésie plutôt que me voir sur la vidéo.

A ce moment-là, je n'avais aucune photo de moi depuis plusieurs années. Frank Sinatra n'aurait pas évité plus gentiment les photographes que moi et je me débrouillais pour détruire les quelques instantanés qui existaient. Je ressemblais à un membre d'une tribu primitive redoutant que la photo n'empoisonne son âme ou ne s'en empare, mais tout ce que je craignais c'était qu'elle ne retienne le souvenir du pneu que j'avais autour de la taille !

Les seules images qui restent ont été prises avant mon mariage.

Il y a pourtant quelques films. Sherm avait acheté une caméra après la naissance d'Andrew et je n'ai jamais pu m'éclipser lors des prises de vues. De plus, je m'étais figuré qu'Andrew devait avoir une image de lui et sa maman. Quand Sherm passait ces films, je fermais toujours les yeux aux moments épouvantables — lorsque j'étais sur l'écran.

Quand je commençai la promotion de mon livre, je pesais 82 kilos environ. Ce n'était ni mon maximum ni mon minimum. Cependant, cela suffisait à me poser des problèmes. Les gens n'ont jamais compris pourquoi je n'étais jamais préoccupée par ce que j'allais dire. Franchement, seule mon apparence comptait. Je passais toujours beaucoup plus de temps à préparer mon aspect extérieur que mes réponses à l'intervieweur. J'ai toujours su que ma bouche fonctionnerait, mais j'avais des doutes quant à mon visage et à mon corps.

C'est pourquoi j'adore la radio. On peut s'amuser, parler et rire sans que personne ne vous voie.

Pour ma première semaine à la télé, j'étais pétrifiée. Tous les soirs, je me couchais en pensant : « Mon Dieu, demain je dois encore me lever et retourner à la télé. » Cette idée était à la fois épouvantable et terrifiante. C'est drôle qu'aucun de mes amis ne m'ait jamais parlé de mon poids. Personne ne m'a dit, même sous le ton de la confidence : « Mary Ellen, tu as un problème et tu perds complètement les pédales. » Avant cette période les conversations tournaient autour de : « Mary Ellen, tu es une si jolie fille. Ce serait merveilleux, si tu pouvais maigrir un peu. »

J'étais parvenue à un tel stade que personne ne mettait la question sur le tapis. Je n'avais vraiment pas du tout l'air jolie. Je paraissais vingt ans de plus. Quand j'étais plus jeune, on me faisait constamment des compliments au sujet de mes yeux. Mais ces commentaires s'arrêtèrent, mes joues étant devenues tellement gonflées que mes yeux semblaient de plus en plus petits. Un double menton me poussa.

« Vous ressemblez beaucoup à Elisabeth Taylor, me dit un jour un coiffeur, elle n'a pas de cou non plus. »

Quand on est gros, dès qu'on rencontre un autre gros dans la rue, on demande à son compagnon : « Suis-je comme lui ? » Si l'on est avec un bon ami, celui-là, pour vous protéger, vous raconte que non — même si c'est faux.

La seule personne qui m'ait fait la remarque au sujet de mon poids était une étrangère qui m'aborda au rayon des couvertures d'un grand magasin pour me dire, d'une part, que le plaid que je regardais coûtait trop cher, et d'autre part, que je devais me mettre au régime. Elle était entraînée dans un groupe et c'était devenu une véritable religion : c'était une nouvelle fanatique.

Maintenant, je dois reconnaître que je désapprouvais cette attitude. Les inconnus sont toujours incités à vous aborder et commenter votre aspect : « Vous savez, vous devriez maigrir. »

Comme si c'était une chose à laquelle vous ne pensiez jamais ! C'est l'un des pires ennuis occasionnés par la surcharge pondérale. Même quand on évite les miroirs comme je le faisais, à chaque coin de rue, on se voit ou on se sait vu.

Les étrangers devraient rester en dehors de tout ça, mais je suis convaincue que les bons amis peuvent aider sans vexer.

A la fin de l'époque où j'avais le plus grossi, avant d'attaquer mon régime, j'étais extrêmement vindicative et irritable. Je m'effondrais sans cesse et j'étais devenue insupportable à mon entourage.

La Mary Ellen que tout le monde avait connue, était en train de disparaître sous des montagnes de graisse.

Comment le savais-je ? On me l'a dit — mais seulement lorsque j'ai commencé à maigrir. Je considère que j'ai eu de la chance de me mettre finalement au régime, mais je trouve désolant que personne ne m'ait aidée à regarder les choses en face.

Je ne pense pas qu'il soit nécessaire de tomber dans l'excès inverse et, d'un seul coup, aborder le problème sans aucun ménagement. Cela conduirait tout droit au réfrigérateur. Mais une bonne amie peut saisir le moment idéal. Je sais, on trouvait difficile de m'en parler. Évidemment, j'ai une apparence de forte personnalité et j'ai beau me trouver douce et influençable, personne n'a jamais eu le courage de me dire gentiment : « Eh, Mary Ellen, il faut faire quelque chose. Tu as l'air affreuse. Tu es plus grosse, de mois en mois. »

Et c'était exact. D'un simple excès de poids, je passais à l'obésité. Plus je réussissais professionnellement, plus mon alimentation m'échappait.

Il est habituel d'entendre que plus on est heureux, moins on a de risque d'être gros, et qu'on mange trop seulement quand on est triste. C'est vrai que je compense par la nourriture quand j'ai le cafard, mais aussi lorsque je suis gaie comme un pinson. Je bouffe quand je m'ennuie, quand ça a l'air bon, quand je suis stressée, et aussi quand je suis contente.

J'arrivais beaucoup mieux à me contrôler quand je passais chez moi toute la journée. Certes, je ne faisais pas de prouesses, mais je pensais à faire attention. Je sautais le petit déjeuner et déjeunais légèrement d'une salade ou de thon. Cependant, le dîner posait un problème. Je le commençais toujours avec le journal de vingt heures pour le finir avec la dernière édition des nouvelles. Les week-ends, je cherchais des invitations, ce qui signifiait manger et boire.

Une fois mon premier livre publié, je fus tout le temps sur les routes. Je séjournais dans des hôtels trois étoiles. Je ne nierai pas le plaisir que j'en tirais, mais je devais faire avec cette façon de vivre, la valise à la main et sous pression. Je ressentais beaucoup de stress. Mon style de vie avait été bouleversé en une nuit. Au début, je rationalisais : « Mary Ellen, dans ton type de travail, être mince n'est pas important. » Je croyais que la ménagère moyenne pourrait au contraire s'identifier à moi. Je me racontais que j'avais une maison agréable, un bon mari, un enfant superbe et une belle carrière. J'allais jusqu'à me dire qu'on ne peut pas s'attendre à tout posséder à la fois.

Bien sûr, un coup d'œil à Jane Fonda m'aurait fait réaliser que tout cela n'avait aucun sens. Mais j'y croyais dur comme fer. Je n'avais pas, de toute façon, tellement le temps de me livrer à la réflexion. J'allais dans vingt villes. Ce qui veut dire que j'étais chaque jour en avion et chaque nuit, dans une nouvelle ville. On travaille ainsi d'une traite de lundi à vendredi, on rentre chez soi, puis on recommence.

Sur le trajet, les lundis et les mardis, je buvais du Perrier, mangeais des salades, de la viande et des légumes le soir. Arrivé mercredi, je perdais les pédales, probablement parce que j'étais seule.

La télévision donne une impression de prestige. En fait, on se balade dans la station environ une demi-heure avant d'avoir l'antenne, on passe au maquillage, on fait son boulot puis on plie bagage et on s'en va. On n'a jamais le temps de discuter avec les gens qu'on rencontre devant la caméra pour la simple raison qu'on doit reprendre l'avion la nuit même et qu'ils ont leurs propres vies à mener.

C'est très impersonnel. Ce n'est pas notre faute, c'est la vie…

Après l'émission, on se trouve tout seul avec ses pensées. Personne n'est là pour vous donner une appréciation sur ce à quoi on ressemble. « De quoi j'avais l'air ? Est-ce que j'ai bien joué ? Que pourrais-je faire pour m'améliorer ? »

Il n'y a personne pour vous redonner confiance ou partager votre solitude sur la route. La nourriture devient votre seule amie. Vous rêvez de vous retrouver dans votre chambre, de prendre un bain, de vous asseoir et de partager un repas avec vos copains : les protéines, les graisses et les hydrates de carbone. Manger devient le principal but auquel vous pensez en travaillant. Des tas de gens reconnaissent qu'ils ont connu la même expérience dans ce genre de tournée.

Une romancière très célèbre m'a raconté qu'elle avait des sentiments ambigus et culpabilisait pour le poids qu'elle prenait.

Une nuit, alors qu'elle venait de commander un gros repas, elle se dit : « Qu'est-ce que je suis en train de faire ? Je n'ai pas besoin de toute cette nourriture, il n'y a rien de bon pour moi là-dedans. »

Elle a donc téléphoné pour annuler son ordre. La réponse lui confirma ses pires sentiments sur ce qu'on allait lui servir : « Désolés, Madame, mais nous avons déjà tout mis dans la friteuse. »

J'ai ma propre histoire favorite. J'avais commandé un dîner de poisson, puis je changeai d'avis et demandai à la place un beefsteak. A cette époque, je ne savais pas que le poisson contient moins de calories que la viande.

Celui qui prit mon appel s'embrouilla légèrement, car on m'apporta sur le chariot, un peu plus tard, deux dîners avec deux bouquets de fleurs, deux serviettes, deux couverts en argent. Croyez-vous que j'en renvoyai un ?

Pas de gâchis, pas de volonté. Cela devait arriver, et qui le saurait ?

Je parlais comme s'il y avait quelqu'un dans la salle de bains : « Dépêche-toi, Katie, ton steak refroidit. » Et pour faire bonne mesure : « Il est à point, comme tu l'aimes. » Je donnai un pourboire au garçon, attendis qu'il sorte et m'installai pour manger les deux repas. J'ai même changé de fauteuil quand j'ai attaqué le second service.

De temps à autre, je me voyais à la télévision. Quelques émissions étaient enregistrées chez moi en vidéo. Pendant que l'équipe se mettait en place, comme je ne voulais pas paraître idiote, je m'asseyais pour les regarder travailler.

A mon étonnement, je n'avais pas l'air si mal. C'est ce que je remarquais quand on m'enregistrait toute seule. J'avais toujours l'air bien quand j'étais seule. Mais à partir du moment où on me mettait à côté de quelqu'un de taille normale, je semblais grosse. Quand j'étais debout avec un invité, par exemple, on notait que ses bras tombaient tout droit mais pas les miens. Mes hanches les contraignaient à faire un angle. C'est une allure naturelle chez les pingouins.

De toute évidence, je préférais être assise quand je n'étais pas seule devant la caméra. J'avais trouvé un truc pour grossir les célébrités. Dans les shows télévisés, on a toujours pour règle un invité en blanc, un invité en noir et un canapé beige. Il reste donc à s'habiller en beige. Je veux dire entièrement, de la tête aux pieds. De cette façon personne ne voit où vous vous arrêtez et où commence le canapé.

C'est, paraît-il, un truc de *Cosmopolitan ;* je l'ai suivi dans des réceptions pendant des années. J'appelais la maîtresse de maison pour lui demander la couleur de son divan, puis je m'habillais de façon assortie et arrivais suffisamment tôt pour m'y affaler. Pour cette raison, tout cocktail non assis m'était un calvaire. Il est difficile de prendre la couleur du mur, surtout si le papier est à fleurs !

Je l'admets maintenant. Au-dessous de ces kilomètres de beige, mon corps devenait de plus en plus énorme. Je perdais tout à fait le contrôle. De mon poids, je me désintéressais vraiment.

J'avais décidé : « Regarde, voilà ta façon d'être et ainsi tu resteras — Accepte-le, passe outre — Passe outre et triche — Passe outre, triche et mange. »

Une journaliste m'avait dit quand j'ai fait mes débuts : « Habituellement, quand les gens ont du succès, ils maigrissent. Tu maigriras, je suis certaine que tu maigriras. » Bien sûr, elle n'avait que partiellement raison.

Mais ne pensez surtout pas, qu'il faut faire carrière pour suivre mon régime. En fait, il est d'autant plus utile qu'on a le moral au plus bas. J'ai une amie qui se jette dans toutes sortes d'exercices et fait particulièrement attention à ce qu'elle mange à la minute où elle est menacée d'être dépassée par les événements — le lave-vaisselle est en panne, les enfants font les idiots, son mari a décidé de plaquer son boulot de fonctionnaire pour faire du café-théâtre. Elle dit : « Au moins il me restera un beau corps. »

Quand on est gros, on n'est pas heureux.

Mon livre marchait bien et je gagnais pas mal d'argent. Pour la première fois de ma vie, j'avais les moyens de me payer une cure thermale. Devinez quoi ? j'étais gênée. Je croyais qu'aucune station de télé ne voudrait de moi.

J'étais déjà grosse avant le succès de mon bouquin et je continuais à l'être après. La seule différence résidait dans le fait que je pouvais maintenant me permettre d'aller dans des boutiques de vêtements encore plus coûteuses.

5.

EN AFFRONTANT LES GROS FAITS

Janvier 1982. Cela faisait cinq ans que j'étais montée sur une balance. Comme le temps s'envole ! La seule idée que j'avais de la gravité de mon problème de poids venait de mes vêtements. La plupart d'entre eux ne m'allaient pas. Je portais toujours une taille au-dessus.

D'un certain point de vue, j'avais résolu le problème de ma garde-robe. J'avais environ vingt-cinq paires de pantalons noirs. J'avais déniché une marque merveilleuse — en d'autres termes qui me convenait — et je les achetais par cinq. Je les mettais avec une blouse à manches longues et col haut, et un blazer noir. Ainsi habillée, ainsi déshabillée. J'étais parée pour toutes les occasions. Pour un enterrement, je portais cet uniforme avec une chemise d'homme grise. Pour un mariage, j'avais une blouse de dentelle blanche sous ma veste.

Ce système facilita ma politique de l'autruche, car j'avais beaucoup investi dans mes pantalons noirs. J'avais trouvé des solutions créatives pour toutes les crises : lorsqu'elles commençaient à éclore, lorsqu'elles avaient besoin de cicatriser. Finalement, quand, par un jour de juillet particulièrement chaud, j'eus du mal à enfiler mes pantalons en synthétique noir, je décidais que j'en avais assez.

C'est alors que je commençai à fréquenter les magasins spécialisés dans les tailles de femmes fortes, numérotées par A, B, C et D ou 1, 2, 3 et 4. C'est différent quand une fermeture éclair ne fonctionne pas avec du D plutôt qu'avec du 46. Je préférais nettement sortir une tête de la cabine d'essayage pour demander si la même blouse existait en taille 4 et non en 52. Lorsque la boutique annonçait une « taille unique » et que ça ne m'allait pas, je décidais que ces produits étaient conçus pour un pays où les gens ne sont pas aussi forts que les Américains.

J'avais vu dans *Vogue* qu'on ne prend pas de poids au niveau des pieds. Ces journalistes n'y connaissaient visiblement rien. Croyez-moi, même mes pieds avaient grossi. Au lycée, je chaussais du 37, et j'avais atteint le 39 1/2. J'en rejetais la faute sur les fabricants, mais je ne pouvais pas ne pas remarquer que d'autres régions de mon corps devenaient plus grosses, des régions inhabituelles telles que les doigts et les lobes de l'oreille. J'avais une amie, qui passait son pouce et son index autour du poignet pour voir si elle avait grossi. Non seulement je n'arrivais pas à les faire se rejoindre, mais je n'aimais même pas regarder mes poignets.

J'étais allée assister à une reprise de *Cendrillon* de Walt Disney avec Andrew. Tous les enfants ont plaisir à imaginer que leur mère est la plus belle du monde. Aussi, quand nous sortîmes du cinéma, j'attendis avec impatience lorsqu'Andrew me demanda :

— Maman, devine à qui tu me fais penser dans ce film ?

— A qui, Andrew ?

— Tu me rappelles cette grosse petite souris qui rit tout le temps !

Andrew se rendit compte immédiatement qu'il m'avait blessée, car il essaya de tourner son commentaire en compliment. J'aurais presque souhaité qu'il m'imagine en belle-mère. Au moins, elle était mince !

Une fois de plus, j'avais voulu qu'il y eût quelque chose à faire. Le premier pas aurait été de faire face à mon corps qui m'était devenu tellement étranger. J'avais pris l'habitude de me déshabiller dans le noir. Si, en quelque sorte, ma tête et mon corps s'étaient séparés, je ne pense pas que j'aurais pu les remettre en ligne.

Il y eut une époque où j'aimais à me regarder dans les vitrines des magasins, mais maintenant je n'avais même pas une glace en pied chez moi. Le seul miroir que j'utilisais était sur ma coiffeuse et il était tellement petit que je n'y voyais que le haut de mon visage.

Quand on devient vraiment gros, on ne s'intéresse plus qu'à son maquillage et à sa coiffure et non à son corps. Celui-là n'existe pas. Soudain, un jour, on se trouve en train de marcher dans la rue vers une femme énorme et on s'aperçoit qu'on avance vers une glace. Quelque part, en moi, je savais que je devais me voir en face, telle que j'étais vraiment. Non seulement, je ne voulais pas affronter mon image, mais je savais aussi que si je le faisais, il faudrait me convaincre que la situation était exagérée.

Je commençais à inventer des trucs pour emprunter un appareil photo aux invités de mon émission la « Caméra pour minces ». « Non mais, sans blague, répondaient-ils, je le garde toujours avec moi ! » Mais, bien sûr, cet appareil ne ment pas. Une photographie constitue une preuve flagrante. Je décidais d'emmener quelqu'un faire des photos de moi. Le matin où le photographe arriva, j'étais de bonne humeur. J'avais décidé que ce serait un jour où l'on s'amuserait. Je montais enfiler mon pantalon de grossesse. Je le portais encore. Je l'avais gardé pour le mettre quand j'étais à mon poids maximal, et depuis, il était vraiment confortable, parce que bien déformé et détendu, je mis une blouse avec des fronces. Évidemment, les gros ne portent jamais rien de froncé.

C'est à la télévision que j'ai appris comment poser pour les photos. La plupart des « poids lourds » savent le faire.

Garder la tête haute devant une caméra, veut vraiment dire quelque chose pour eux. Ils essayent aussi de garder les bras levés. Ils font tout ce qu'ils peuvent pour aller à l'encontre des effets de la pesanteur. La chose la plus importante, c'est de ne jamais regarder la caméra en face, mais de se faire cadrer de trois quarts. Cependant, j'avais décidé de ne pas tricher et je regardais de face. De face, de profil, devant, derrière, assise sur une chaise, allongée, talons plats... Vous avez déjà vu ces « avant »-« après » dans des magazines. Au début, la fille a vraiment l'air mal fagotée ; pas de maquillage, le cheveu en bataille et aucun sourire. J'ai fait quelques plans comme ça, puis bien arrangée. J'ai passé un excellent moment, prenant même des poses (gags avec la bouche pleine entre autres).

Lorsque les photos furent développées, je ne peux pas expliquer comment je me sentais. Je n'arrivais pas à croire que je sois sortie dans la rue sans que personne ne m'ait ôté mes droits civiques ! Je défigurais le paysage. C'était absolument monstrueux.

Je ne pouvais pas me raconter que j'avais été photographiée au cours d'un mauvais jour, car, sur les photos où j'étais bien maquillée, j'étais au maximum de mes possibilités.

Normalement, je me serais ruée vers le réfrigérateur, mais, ces images en tête, j'étais trop déprimée pour faire quoi que ce soit. Ce que nul médecin au monde n'avait réussi, ces clichés l'ont obtenu, ils sont parvenus à me convaincre qu'il fallait maigrir.

Je passai en revue l'histoire entière de mes régimes. Du plus loin que je me souvienne, aucun n'avait marché. Que pourrait-il vraiment se passer cette fois-là ?

La plupart des livres conseillent de se faire examiner par un médecin, avant de commencer à maigrir. Cela signifie, évidemment, qu'il faut monter sur une balance. La mienne était couverte de poussière. A chaque bilan subi, après la naissance d'Andrew, j'ai toujours demandé au médecin de ne pas me dire mon poids. Plutôt faire la guerre que me peser ! Plutôt crever de n'importe quelle maladie !

Mais, une fois, une fille m'a raconté qu'elle avait eu un problème majeur de poids et que l'on avait découvert un ralentissement de sa thyroïde. Sous traitement, elle avait perdu vingt kilos. Pour moi, ces nouvelles furent sensationnelles. Je me persuadai vite que j'avais un problème de ce côté-là. Je n'avais qu'à consulter un médecin, prendre les pilules ad hoc, et je serais Miss Amérique au bout de six mois.

Je pris un rendez-vous.

La veille, je ne mangeai rien. La nuit précédente, je ne dormis pas. Je pris des laxatifs. Si j'avais eu des diurétiques sous la main, je suis sûre que j'en aurais pris.

J'espérais, de tout mon cœur, que j'échapperais à la balance, mais je savais que c'était impossible. Même les dermatologues pèsent leurs patients ! J'ai toujours dit que je venais pour ma peau et non pour mon tour de taille, mais les infirmières n'ont jamais rien voulu entendre. En allant voir ce médecin, il était évident que son assistante ferait son travail.

La tâche de cette malheureuse n'était pas facile. Si je faisais ce métier, je m'assurerais que tous les obèses sont sous tranquillisants avant de les peser. Je ne suis sûrement pas très originale. J'ai d'abord fait des difficultés pour ma taille. Au lycée, je me considérais comme ayant une silhouette très standard, mais au fur et à mesure que je grossissais, je m'imaginais plus grande, avec des os plus forts. Une infirmière a eu le cran de me dire que je mesurais seulement un mètre soixante-cinq. Je lui ai rétorqué que je mettais en doute ses compétences.

Elle a, bien sûr, pris sa revanche en me pesant. Elle laissa bien le contrepoids aller vers la droite et, finalement, obtint l'équilibre. Ce qui m'a le plus surprise, c'est de ne pas voir l'aiguille se bloquer ou s'emballer. J'ai failli m'évanouir. Je pesais 104 kilos ! J'ai pu garder mon sang-froid, parce que l'infirmière devait elle-même friser les 125 kilos.

Très bien, voilà quelles étaient les nouvelles : j'avais au minimum 45 kilos en trop.

Pourtant, le seul fait de me retrouver dans un cabinet médical et d'accepter la confrontation avec la balance avait un résultat positif : le lourd fardeau, qui pesait sur mes épaules, s'était envolé. Pas sur mon estomac, en revanche. Mais ma démarche était vraiment le signe que je me sentais impliquée dans l'affaire. Une première grande étape était enfin franchie. Peu importait ce que l'infirmière pouvait penser. Ma présence voulait dire qu'il me restait encore un peu de confiance en moi.

Le médecin ne m'a, bien sûr, pas vue à ce moment précis. Ils sont au-dessus de ce genre de tâches. Tout au plus est-il rentré, s'est lavé les mains et a enfin fait attention à moi.

« Bien, bien, bien, a-t-il dit, qu'est-ce que nous avons là ? »

Ils ont tous les mêmes paroles : « Bien, bien, bien » ; « Qu'est-ce que nous avons là ? » Avec mes 104 kilos, c'était difficile d'ignorer ma présence. Je lui ai expliqué le problème face auquel il se trouvait : un individu ayant un problème de poids et à qui il fallait prendre la tension artérielle. Quelqu'un qui, d'après moi, devait avoir une histoire de thyroïde.

Le médecin me fit une prise de sang et me rappela dans son bureau. Les résultats étaient tous négatifs. J'étais en parfaite santé. Il me confirma même « Vous allez très bien. » Je n'avais jamais été aussi déçue de ma vie. « Vous êtes en pleine forme, répétait-il en essuyant ses lunettes, mais vous êtes grosse. »

Ma tension artérielle était un peu élevée et mon pouls battait trop vite, mais il pensait que tout rentrerait dans l'ordre en maigrissant.

Je voulais absolument prendre des médicaments pour ma thyroïde. J'étais persuadée que cette glande déraillait complètement. J'avais quand même fait plus d'un essai sérieux pour perdre du poids. Je dis au médecin que même les restrictions les plus drastiques n'avaient servi à rien du tout. En pensant à nouveau à cette consultation, je m'aperçus, à ma plus grande surprise, qu'il ne m'avait jamais demandé si je faisais de l'exercice. Il se contenta de me donner un régime de 1 500 calories par jour et un livret expliquant comment bien suivre ce régime. En d'autres termes, il n'avait pas de vraie solution pour moi.

Mon pire moment fut lorsque mon regard tomba sur la fiche qui traînait, grande ouverte, sur son bureau. Elle affichait « obèse ». « Obèse » est un mot dont il faut se tenir le plus possible à l'écart, même si on n'en connaît pas la signification. Je n'ai jamais été particulièrement attirée par ce qualificatif, encore moins quand il me fut destiné. J'étais terrassée, j'aurais préféré subir une sentence d'emprisonnement qu'être étiquetée comme « obèse ».

Avant de me retrouver hors du cabinet médical, je commençais à bien tout remettre en place. Je venais de subir une rude expérience, aussi me fallait-il, pour commencer, manger ! Je pris ma voiture et sortis du parking de ce médecin pour m'arrêter au restaurant le plus proche. Je commandais une salade et un verre d'eau, ce qui signifiait, assurément, quelque chose. J'aurais pu demander un hamburger, des frites et un Coca. Mais le problème était que je continuais à prendre de la nourriture comme un boiteux des béquilles. C'était toujours la première chose me venant à l'esprit au moindre souci qui se présentait à moi.

J'étais vraiment désespérée. J'ai envisagé de faire agrafer mon estomac. Je ne sais pas exactement quelle est la technique chirurgicale, mais c'est possible. On met en dérivation les intestins, pour empêcher de garder trop de nourriture dans l'organisme et donc afin d'éviter de prendre du poids. Cela me paraissait une bonne solution. Je téléphonai à différents médecins spécialisés dans ce domaine, mais ceux-là me répondirent que cette intervention n'était pratiquée que sur des cas gravissimes, présentant au moins un excédant de cinquante kilos. Je n'étais pas loin de ce record, aussi j'envisageais même de le tenter en mangeant encore plus. Heureusement, avant de m'y mettre en augmentant encore ma consommation de « Mac Do », une nouvelle particulièrement horrible me tomba sous le nez, les agrafes placées sur l'estomac pouvaient sauter ! D'une manière ou d'une autre, dans les deux années qui suivent l'opération, la plupart des patients reprennent tout le poids qu'ils ont perdu. De plus, grâce aux bons soins du chirurgien pour nos intestins, on passe des heures aux toilettes, si vous voyez ce que je veux dire. Tout ça m'a cassé le moral ! C'est d'ailleurs une des raisons pour lesquelles je n'ai jamais tenté le régime « Hollywood », qui est vraiment difficile à suivre. J'ai d'autres façons bien plus agréables de passer le temps.

Aussi ai-je entrepris la seule chose que je savais faire. Je commençais à m'éclater dans le jeûne ! Je me privais de tout. Je ne mangeais pratiquement plus rien, dormais environ dix heures et bougeais à peine. J'étais exactement comme un alcoolique qui vient de renoncer à boire, mais qui continue à montrer la même faiblesse de caractère. Il est hargneux et revendicatif. Sa rengaine : « Je suis un type bien gentil, vous êtes un mauvais type, je suis privé, je ne bois pas, le monde me doit quelque chose. » Il ne change pas son mode de vie. Il ne traîne pourtant plus, un verre de whisky perpétuellement à la main.

J'agissais aussi comme un alcoolique sevré. Je me sentais punie. J'étais de mauvaise humeur. — Mon Dieu, pourquoi moi ? Pourquoi pèserais-je 104 kilos ? Je suis une grande personne. Qu'ai-je donc fait pour me conduire aussi bêtement ? Plus on a cette façon de penser, plus on a envie de manger. Les alcooliques font exactement la même chose, seulement, eux, veulent boire.

C'était un vrai cercle vicieux. Plus je continuais, plus j'étais persuadée que quelque chose allait vraiment de travers, et plus j'étais déterminée à agir. Il me fallait trouver un régime avec lequel je puisse vivre. Je n'avais aucune idée de ce qu'il pourrait être, mais je savais que je ne pouvais absolument pas revenir en arrière sur ce point. Ma première idée fut de me mettre carrément à jeûner, me faire hospitaliser et vivre seulement de protéines synthétiques ; mais j'avais déjà fait des expériences un peu similaires dans le passé, qui avaient échoué. Souvenez-vous de Scarlett O'Hara prenant l'air dans son jardin, regardant les étoiles et faisant le vœu de ne plus jamais avoir faim ? Je fis exactement la même chose, en priant le ciel de n'être jamais plus affamée et grosse en même temps. Il devait sûrement exister une explication à mon problème de poids. Je décidai donc qu'il me faudrait le temps nécessaire, peut-être même toute ma vie, pour comprendre ce qui déraillait dans mon organisme et pour pouvoir stopper cette machine à faire de la graisse.

Cette décision me fit beaucoup de bien, mais il fallait absolument que je trouve quelqu'un pour m'aider à répondre à toutes ces questions.

Dieu merci, j'ai attrapé la grippe !

6.

QUOI DE NEUF, DOCTEUR ?

Après mon expérience avec le médecin aux 1 500 calories par jour, je me promettais de me tenir à l'écart de tout individu habillé en blanc à moins que ce ne soit pour vendre des glaces. C'est alors que je fus frappée par la grippe. Pendant un moment, j'étais au septième ciel — après tout, je maigrissais !

Au bout de quelques jours, mes amis et mes proches me signifièrent que ma toux, ma respiration sifflante, mes quintes et ma façon de monopoliser les toilettes commençaient à leur casser les pieds. De plus, j'allais bientôt avoir une rencontre très importante pour mon travail. Un de mes collègues insista pour que j'aille voir son médecin, le docteur J.H. J'aime bien que ceux qui me soignent aient un peu d'embonpoint et le cheveu grisonnant. Le docteur J.H. était blond et aussi beau qu'un moniteur de ski, l'anorak en moins. Ajoutez à cela qu'il était absolument charmant et vous comprendrez que j'avais des doutes sur ses réelles qualifications. Pourtant, il avait les diplômes requis, il guérit ma grippe et je devinai que ce n'était donc pas un charlatan.

Je l'appréciais vraiment. De temps à autre, nous nous rencontrions en dehors de toute raison médicale. Je le déposais à son bureau, et nous prenions le café ensemble, tout en discutant un peu ; ce qui, pour moi, correspondait à peu près au Petit Chaperon rouge offrant à boire un coup au loup ! Je m'attendais toujours à ce qu'il me donne un livret d'instructions, mais il n'en fit rien. Je suis allée jusqu'à le tester. Lorsque nous sortions et que tout le monde prenait une pizza, j'en prenais un morceau, juste pour voir s'il allait réagir : « Laissez tomber, Mary Ellen, vous allez bientôt exploser. » Mais il ne tomba jamais dans ce piège. En fait, je m'étais déjà moralement engagée et essayais de contrôler mon poids. Je ne grossissais pas, mais ne maigrissais pas non plus. Le docteur J.H. en était bien conscient et je le lui avais fait remarquer sans trop insister, mais nous n'en avions jamais réellement discuté de but en blanc. Puis, petit à petit, je commençai à dévoiler mon anxiété.

J'ai découvert que le docteur J.H. avait beau être un généraliste, il était particulièrement intéressé par les problèmes de nutrition. De temps en temps, il me faisait part de travaux réalisés par des amis spécialisés dans ce domaine. Il m'annonça qu'il y avait un grand nombre de découvertes nouvelles concernant le contrôle du poids, qui pourraient être importantes pour moi et m'aider, il en conclut que nous pourrions nous rencontrer pour en parler quelquefois. J'acceptais. D'une part, j'avais confiance en lui. D'autre part, j'étais lasse de tous les régimes que j'avais faits jusque-là. Alors que je mangeais très peu, je ne parvenais toujours pas à maigrir.

Pour notre première discussion, j'étais assise sur son divan d'examen. En fait, seulement sur une partie de ce divan, car à cette époque, étant à mon poids maximal, j'étais toujours obligée d'enlever quelques coussins pour laisser plus de place à mon corps.

Une fois que je fus bien installée, nous décidâmes de commencer par le commencement. Le docteur J.H. me fit décrire, dans l'ordre chronologique, tous les régimes que j'avais suivis. Tandis que les minutes s'écoulaient, j'étais vraiment très fière de moi. J'ai calculé que j'avais été jusqu'à en suivre soixante-dix ! J'étais à peine arrivée à 1971 et le docteur J.H. avait déjà la crampe de l'écrivain !

« Désolé, ma petite, dit-il quand nous eûmes fini, je suis dans l'obligation de vous dire que vous êtes complètement droguée. Une intoxiquée des régimes. Vous n'êtes pas la seule, bien sûr, ajouta-t-il. La majorité des Américaines sont comme vous. »

Je le savais. Cette façon de se priver ne constitue pas un moyen pour arriver à ses fins, c'est une mode. Être comme ça, signifie seulement qu'on s'intéresse à son apparence physique. Sinon, on est une souillon.

Même les enfants sont au courant. Le petit garçon de trois ans d'une de mes amies refusait de porter un ensemble blanc qu'elle lui avait acheté. Pourquoi ? Il lui sortit l'excuse qu'il avait entendue de la part de grandes personnes : « Cela me donne le sentiment d'être gros. » Mon propre fils, Andrew, qui n'a pas un pouce de graisse en quelque endroit du corps, me demande de temps à autre : « Maman, quand est-ce que je peux commencer un régime ? »

De nos jours, juste après qu'on vous a demandé : « Comment allez-vous ? » ; on n'ajoute plus : « Quoi de neuf ? » ; ou : « Ça se passe bien ? » ; mais : « Vous avez l'air mince », ce qui signifie : « Vous avez l'air bien. » Je le fais, moi aussi. J'ai fait une apparition une fois en tant qu'invitée dans une émission avec Orson Welles et je lui ai dit qu'il avait l'air svelte !

« Comment allez-vous ? » veut dire « Bonjour. » « Bonne journée ! » correspond à un « Au revoir ! » Quand on me le dit, cela me donne en général envie de sauter par la fenêtre, mais ça continue de toute façon. Le reste de la conversation tourne autour de « Comment allez-vous ? » « Vous semblez mince » et « Bonne journée ! » Seulement quand vous tournez le dos, on dit : « Elle est vraiment grosse. »

Et évidemment, j'étais grosse, puisque c'est ce qui m'a poussée à aller voir le docteur J.H. Après avoir entendu mon histoire, j'ai réellement beaucoup apprécié qu'il ne me pèse pas tout de suite. Tout d'abord, il s'est mis à m'expliquer pourquoi tous les régimes sélectifs que j'avais suivis représentaient un véritable désastre sur le plan nutritionnel.

Ma première réaction fut de dire qu'il plaisantait. « Jusqu'à cette femme charmante, qui m'avait conseillé de m'enduire le visage avec de l'ananas, travaillait du chapeau ! », me rétorqua-t-il.

Pour comble, il affirma qu'aucun aliment ne permet de brûler les graisses. J'étais, ô combien, déçue ! Je me sentais comme un enfant qui apprend en une seule nuit qu'il n'existe ni cloches de Pâques ni père Noël.

Pis encore : un grand nombre de ces régimes sont vraiment dangereux. Ceux où l'on ne compte aucune calorie, qui sont appauvris en hydrates de carbone et en lipides, fatiguent les reins. D'autres sont carencés globalement en vitamine C, en vitamine A ou en potassium. Les plus stricts, particulièrement pauvres en protéines, sont très dangereux. Quand on ne mange pas assez pour satisfaire les besoins énergétiques de l'organisme, celui-là consomme ses propres tissus, jusqu'à ceux d'organes vitaux comme le cœur.

Quelle est la différence entre un vautour et ce genre de régimes ? L'animal, lui, attend au moins que l'on soit mort pour attaquer le cœur.

Avant que je me précipite et recommence les mêmes erreurs, le docteur J.H. m'avait expliqué comment cela me tuerait. Toutefois, ce n'était pas les pires nouvelles qu'il me livrait, et si vous êtes concernés par votre poids, vous comprendrez ce que je veux dire.

En effet, le plus catastrophique c'est que tous ces régimes finissent par faire grossir !

Le docteur J.H. m'a dévoilé toutes les théories scientifiques, mais je dois confesser que, la première fois, je n'en ai pas compris les trois quarts. Je ne pouvais m'empêcher de penser que personne ne m'avait dit la vérité. Tous ces magazines féminins, tous ces livres que j'avais lus, et tous ces médecins que j'avais vus, parlant à Pierre, Paul et Jacques, ne m'avaient pas rapporté tous les faits. Je n'avais jamais cru dans tout ce que j'avais parcouru dans les journaux ou entendu dans les slogans publicitaires, mais j'avais confiance en ceux qui débarquaient avec un régime miracle. La tournure des événements me prouvait que je n'aurais jamais dû. Aucun de mes efforts n'avait obtenu d'autre résultat que de me faire grossir.

Il semblerait qu'il y ait deux causes principales à l'origine de ce que le docteur J.H. nomme « obésité ». Je soulignais que c'était un de mes mots détestés, mais il me répondit que le terme de « surpoids » n'était, pour une raison qu'il m'expliquerait plus tard, pas vraiment approprié.

La première cause est l'hyperphagie ou, en français plus compréhensible, le « trop-manger ». L'autre cause est l'obésité primaire ou la tendance à devenir gros. Nous, les obèses primaires — selon les spécialistes —, pouvons réagir à un régime sévère et à long terme en augmentant la production de nos graisses.

Je commençais à comprendre. Je devais consommer de trop grosses quantités de certains aliments. Qui ne le fait pas ? Même les gens les plus minces prennent un dessert alors qu'ils n'ont pas vraiment faim. Ce n'était pas seulement une question de manque de volonté, pour le docteur J.H., les régimes étaient les grands responsables.

Chacun d'entre nous posséderait son propre seuil — un poids que nous atteignons naturellement tant que nous ne pratiquons aucune restriction calorique. C'est pourquoi, certains se battent toujours contre les mêmes 5 kilos, tandis que d'aures engraissent régulièrement sans jamais sembler monstrueux. Quand j'étais adolescente, mon seuil tournait autour des 65 kilos. Après ma grossesse, il était passé à 95 kilos ! Pas d'inquiétude à avoir sur ma façon de faire des régimes, je reviendrai toujours à ce poids dès que je cesserai de regarder ce que je mange.

Se restreindre ne peut absolument pas abaisser ce seuil naturel. Les gros sont toujours en train de se priver et cela a pour résultat de diminuer le rythme auquel l'organisme assimile la nourriture, c'est-à-dire le métabolisme de base.

Le docteur J.H. a aussi expliqué que le corps humain est conçu pour survivre. La nature nous a faits comme ça pour nous permettre de traverser de très longues périodes sans nourriture, avant l'époque des supermarchés ouverts vingt-quatre heures durant et des restaurants, qui servent jour et nuit. Les réserves les plus efficaces sont faites de graisse, car elles sont plus concentrées. C'est là qu'est contenu le maximum de calories au kilo, plus que dans les hydrates de carbone ou dans les protéines. Une cuillerée à soupe de beurre est plus calorique qu'une cuillerée à soupe de riz (hydrates de carbone) ou de poisson (protéines).

L'organisme sait très bien comment mettre de côté des provisions. Lorsqu'on diminue sa ration alimentaire, le corps ralentit son régime de combustion pour que la nourriture brûle plus lentement. Tout cela se fait naturellement, comme si nous nous retrouvions abandonnés quelque part, sur une île déserte. Il y a moins d'entrées si bien qu'on écoule plus lentement les munitions. Et c'est aussi valable quand le corps a déjà subi des pertes en graisse pour une urgence. C'est comme si on faisait naufrage sur une côte inhabitée sans s'apercevoir que le *Queen Elisabeth* y a rejeté ses débris.

Revenons à nos moutons. On ne fait plus aucun régime, on est à l'abri et de retour chez Mac Donald. Mais l'organisme ne le sait pas encore et il continue à ralentir sa combustion.

On est en train de manger la même quantité qu'avant mais on brûle, hélas, la nourriture plus lentement. On va donc grossir. Et si on se permet, en outre, de faire un extra, on ne va pas seulement reprendre le poids perdu, mais y ajouter quelques kilos. On ne sait pas combien de temps le métabolisme de base s'est ralenti, mais c'est suffisant pour reprendre du poids.

Pour finir, le nouvel individu, plus lourd, est composé d'une proportion encore plus élevée de graisse qu'avant de commencer le régime. Des 20 kilos perdus, 10 sont constitués d'eau, 5 de muscle squelettique et 5 de graisse. Des 20 kilos repris, il y en a 10 formés d'eau et 10 de graisse, en admettant qu'on ne fasse aucun exercice physique.

Plus on est musclé, plus vite on brûle les calories, même au repos, simplement grâce à la respiration et à la circulation du sang. D'autre part, le tissu adipeux utilise les calories beaucoup plus lentement. Quand on est plus gros, on a besoin d'apporter moins d'énergie au corps qu'avant, mais on ne perd pas l'habitude de consommer moins. C'est la seconde raison pour laquelle on reprend du poids.

J'étais un cas type, comme on en décrit dans les livres. Mon métabolisme était totalement bouleversé, mon corps contenait beaucoup trop de graisse, si bien qu'à chaque régime, je devais faire encore plus d'efforts pour maigrir. Le pire de tout était que mon « poids seuil », qui avait d'abord été autour de 65 kilos, se situait maintenant autour des 95 kilos — et, comme l'inflation, semblait vouloir galoper sans qu'on en voie la fin.

Pouvais-je freiner ce processus ?

Pouvais-je ramener mon métabolisme à une conduite plus normale ?

Oui. Le docteur J.H. me livra enfin quelques bonnes nouvelles. Tout semblait prouver qu'on peut agir sur son métabolisme. Il avait sa propre théorie à ce sujet, et me demanda si je ne voulais pas servir de cobaye. Cette phrase manquait plutôt de tact. Une expérience ? Comment diable ! J'avais fait pratiquement tous les charlatans, porteurs d'un stéthoscope, et j'avais même suivi les conseils de quelques-uns, qui n'étaient pas affublés de cet instrument. Maintenant, un individu, en qui j'avais toute confiance, voulait que j'essaie sa méthode. Comment pouvais-je refuser ? Je n'avais qu'une seule chose à perdre : du poids !

Sa théorie m'avait décidée, en partie, à réduire mon apport calorique. En d'autres termes, à faire un régime. Au fur et à mesure de son déroulement, tant que je maigrissais, le docteur J.H. augmenterait progressivement ma ration quotidienne. Il était persuadé que son système me permettrait finalement de prendre des centaines de calories de plus que celles que je m'octroyais à l'époque et de stabiliser aussi mon poids.

Pour enrayer la catastrophe et la maladie de la « ribote », il était essentiel d'habituer mon organisme à une dose de nourriture normalement élevée.

Aussi loin que je me souvienne, j'avais toujours été soit en période de régime, soit en période de prise de poids. Je n'avais jamais connu d'« entre-deux ». Aucun des régimes sélectifs que j'avais suivis ne se préoccupait de ce qui se passait après. L'idée que je pourrais, dans une certaine mesure, me nourrir comme quelqu'un de normal était particulièrement séduisante.

Une diététicienne devait s'occuper des détails pratiques et le docteur J.H. pensait que je pourrais l'aider à élaborer les règles fondamentales. J'étais tout à fait d'accord.

Règle n° 1 : Voir les résultats dès le début. Même si le docteur J.H. n'approuvait pas les méthodes rapides, il accepta quand même quelques semaines de restriction très sévère.

Règle n° 2 : Je voulais un plan très strict. Les nutritionnistes estiment que les régimes structurés sont mauvais, car les gens ont envie de se rebeller contre quelque chose qui ne leur apprend pas à choisir eux-mêmes leur nourriture. Mais je n'étais pas, pour ma part, prête à faire mes propres choix. De plus, nous, les intoxiqués, sommes habitués à des principes rigides dont nous avons besoin pour nous soutenir et que nous savons apprécier. Notre passé nous dicte ce que nous devons manger, en quelle quantité, à quel moment, et nous suivons scrupuleusement ces ordres. Nous sommes incapables de décider parce que nous avons peur de nous tromper et quand nous le faisons, le miracle — l'amaigrissement — n'arrive jamais.

Nous sommes donc parvenus, le docteur J.H. et moi, à un compromis : je commencerai avec un programme rigoureux, puis continuerai de façon moins austère dès que je me sentirai capable d'en assumer le contrôle.

Je voulais également que la diététicienne me donne une liste de menus pour la partie stricte du régime.

J'avais d'autres recommandations :

1° M'écarter le plus possible du supermarché. Je ne voulais y aller qu'une fois par semaine ;

2° M'éloigner de la cuisine. Si je ne devais pas passer beaucoup de temps à manger, je ne voulais pas non plus le passer à faire de la cuisine et à la goûter ;

3° Ne pas prévoir de restes. J'appartiens au célèbre Club des assiettes nettoyées. J'ai pris des repas au nom de tous les affamés de tous les pays. Je suis incapable de préparer un plat pour quatre personnes et de n'en manger que le quart. Si dans un menu, je dois avoir une moitié de melon, je m'inquiète toujours de ce que deviendra l'autre moitié et le plus souvent je la mange. Mais si je sais qu'il faut la garder pour un autre repas, je tiens le coup.

Nous décidâmes que le régime commencerait le 31 janvier. J'irais voir le docteur J.H. pour qu'il m'explique tout ce qu'il fallait faire en dehors du régime. J'avais depuis longtemps dépassé le stade où l'on remet les bonnes initiatives au lundi prochain. A cette époque, je planifiais tous les jours un nouveau régime. En cet honneur, j'en profitais souvent pour faire un bon gueuleton la veille. C'est mon amie Élisabeth qui a commencé à instaurer la tradition de célébrer les adieux par un festin. Elle a même perfectionné le système pour avoir presque toujours un thème prétexte. Je me souviens avec émotion de la veille de la fête de l'Ivoire et de l'Ébène, du lundi de la Menthe, et du Blanc pour une nuit blanche. Cette dernière était la plus réussie. Pour commencer, une soupe de pommes de terre ; ensuite, de la dinde et du pain suivis d'un pudding et d'un gâteau de Savoie avec de la glace à la vanille, recouvert de nougatine et d'amandes.

En général, après ce genre de repas, j'allais me coucher et rêvais de restrictions : un vendeur de glaces refusait de me vendre des vacherins ; tous les magasins de bonbons de New York avaient brûlé ; on avait fermé l'usine Gervais...

Le 30 janvier 1982, jour fatidique, j'ai rêvé tout autre chose. Je me rendais à une réception au cours de laquelle Gloria Vanderbilt était en train de me passer un plateau de hors-d'œuvre et me disait : « Vous êtes bien trop mince. »

Je savais que cette fois-ci, je ne serais certainement pas contrainte d'affronter tous les problèmes que j'avais connus jusque-là.

7.
UNE GRANDE EXPÉRIENCE

Le docteur J.H. était prêt à me recevoir le 31 janvier. Il avait même déplacé les coussins de son divan pour que je puisse m'installer confortablement.

Il avait mis au point les derniers détails. Maintenant, il allait m'expliquer l'autre partie du programme. « Vous allez faire de l'exercice », me dit-il.

De l'exercice ? C'était donc ça son arme secrète ?

Des tas de mouvements de gymnastique envahirent mes pensées. Je me voyais en tenue léopard. On m'ordonnait de faire une centaine de battements de pieds.

Je m'exclamais que ça ne pouvait être qu'une blague. Je m'étais toujours bien faite à l'idée qu'entreprendre une activité physique est sans effet sur un amaigrissement. Je me souviens d'avoir lu un article dans un magazine, il y a environ vingt ans, précisant que pour brûler un kilo de graisse, il fallait aller du Mexique en Californie à pied. Ou peut-être faire seulement cinq kilomètres ? De toute façon, ça paraît long.

Cet article m'avait réconforté. « Qu'est-ce que c'est ? pensai-je, déployer autant d'efforts pour la combustion d'un petit kilo de graisse ! »

Aussi, depuis mon adolescence, je cherchais des régimes qui découragent l'activité physique. Ce qui était valable pour la plupart. Ils n'interdisaient jamais complètement l'exercice mais donnaient des trucs toujours tellement impossibles qu'on en était vite dégoûté. Je rappelais tout ça au docteur J.H.

Il me fit plusieurs remarques. De récentes recherches démontrent que l'activité physique a son utilité, car elle accélère le mécanisme de combustion de l'organisme. En d'autres termes, les spécialistes estiment que lorsque l'on fait un entraînement, on ne brûle pas seulement un certain nombre de calories, on accentue aussi ce phénomène. Cet effet peut se prolonger vingt-quatre heures après l'arrêt de l'exercice.

En plus, il est très important, pour quelqu'un dans mon cas, de pouvoir espérer réparer les dégâts causés par les régimes précédents. Le résultat de mon premier essai avait été déjà de me faire du muscle. C'est en effet plus facile de jouer sur ce tissu que sur la graisse, c'est pourquoi en diminuant ma ration calorique, j'avais forcé mon corps à puiser dans la source énergétique la plus accessible : ma masse musculaire. En reprenant du poids, je gagnais en même temps de la graisse, car on ne peut acquérir du muscle qu'à condition d'avoir une activité physique et je n'en avais aucune. C'était donc suicidaire.

C'est pourquoi, selon le docteur J.H., je n'avais pas le droit de me considérer comme ayant seulement un surpoids, mais comme étant vraiment obèse. Certains individus ont le poids idéal, mais leur corps possède une quantité de graisse trop élevée par rapport à leur masse musculaire. Ça se traduit par un petit peu de ventre et des bras flasques. Normalement, les femmes devraient avoir environ 22 % de graisse. Je n'avais aucune idée de mon propre pourcentage, mais j'imaginais que si l'on craquait une allumette, je flamberais !

Pour le docteur J.H., le fait de s'entraîner musculairement peut inverser le rapport graisse-muscle du corps. Plus ce chiffre est petit, plus l'organisme utilise des calories en une seule fois. Ce phénomène se déroule conjointement au processus de la vie quotidienne. Un athlète en forme dépense plus d'énergie pour respirer que même un sujet mince. Rien qu'en vivant normalement, Chris Evert Lloyd élimine plus que moi en train de courir autour du pâté de maisons. Ça n'est vraiment pas juste.

Pourtant, l'explication du docteur J.H. commençait à avoir un sens pour moi. Il m'apparut que, malgré mon semblant d'activité, mon corps ne suivait pas comme il l'aurait dû. Et les courses ? J'en faisais toujours beaucoup. D'aller d'une boutique à l'autre cela comptait-il pour du beurre ? Regardez la minceur de Jackie Onassis. Je passais mon temps à faire comme elle sans que cela change quoi que ce soit à mon apparence physique.

J'avais aussi l'habitude de faire le tour d'un lac une ou deux fois par mois. Sans aucun plaisir, évidemment.

J'en avais même une sainte horreur. Chaque pas était une véritable agonie pour moi. Mais je savais qu'il était important de faire vraiment travailler mon corps, et de libérer l'organisme de temps en temps. Je croyais que mes marches bimensuelles me réussissaient. En fait, c'est ce que j'ai toujours pensé jusqu'au moment où elles commencèrent à me faire mal. L'activité physique était devenue synonyme, dans mon esprit, de douleur. Mais la théorie était : « Ne pas souffrir, ne pas grossir. »

Le docteur J.H. me demanda de noter de mon mieux tout ce que j'avais fait au cours des derniers jours. Je revenais justement d'un voyage à New York et j'avais passé la journée normalement. J'avais ensuite eu deux jours très agités à courir d'un rendez-vous à l'autre. « Courir » n'est pas le terme approprié. J'avais évidemment utilisé des taxis ou ma voiture. Je n'avais pratiquement jamais marché. L'automobile est le seul moyen de transport national. Voyager en voiture est même considéré comme un geste très patriotique, afin d'aider l'industrie automobile !

Je fus rassurée, quand le docteur J.H. examina la position, correcte, de mon cœur, même s'il était enfoui sous des tonnes de graisse. Pour le docteur J.H., si je pensais vraiment que l'industrie avait besoin de mon soutien, je n'avais qu'à faire un legs à la compagnie Chrysler ! J'appris encore quelque chose : le niveau d'activité des Américains était tombé si bas que l'individu moyen aurait pu, sans problème, prendre 10 kilos dans les vingt dernières années s'il n'avait malheureusement pas diminué sa ration alimentaire.

Quand j'eus un peu assimilé cette information, je m'aperçus que j'avais effectivement assisté à cette transformation entre la génération de ma mère et la mienne. Je ne me souviens même pas de l'avoir vue faisant de la gymnastique ou ayant un entraînement régulier. Et pourtant, elle et ses amies n'ont jamais réellement eu de problème de poids, alors qu'elles mangeaient trois repas complets par jour — plus tout un tas de pâtisseries avec beaucoup de crème fraîche, de sucre... Pourquoi ? Parce qu'elles avaient une vie vraiment active.

Nous habitions dans des maisons à deux ou trois étages et nous passions notre temps à courir d'en haut en bas, et inversement. De plus, chaque jour apportait sa part de corvées ménagères. Nous n'étions pas aussi bien équipés qu'actuellement, avec tout l'électroménager dont nous disposons.

Il y avait très peu d'appartements entièrement moquettés, mais beaucoup de tapis. Nous avions beau posséder des aspirateurs — je ne suis pas si vieille ! — je me souviens très bien de ma grand-mère les aérant et les tapant à la fenêtre une fois par mois.

Nous allions à pied faire nos courses. Nous ne faisions pas un supermarché par semaine, comme maintenant. Quand nous avions besoin de quelque chose, il fallait se rendre à l'épicerie, la boucherie, la boulangerie ou la droguerie. Tout le monde marchait. Je dois admettre qu'en comparaison mes quelques virées dans les centres commerciaux à air conditionné ne me font pas vraiment faire de l'exercice.

Pendant mon enfance, nous ne voyions jamais d'adulte en train de courir autour du lac quand nous nous promenions. Parfois, avec les autres enfants, nous marquions le coup en faisant une course, mais le lac était pratiquement à nous. De nos jours, il y a des bicyclettes de cross, nous faisons du jogging et des excursions ; mais la plupart d'entre nous ne prennent pas vraiment cela au sérieux. Nous faisons nos classes une fois par semaine, mais admettons-le : nous sommes des sédentaires.

Le docteur J.H. ne voulait pas que je m'entraîne à autre chose que la marche à pied. Cependant, pour moi, ça n'était pas vraiment du sport, cela ne nécessite pas d'équipement. Dans les rares occasions où j'avais décidé de me dépenser physiquement, il me fallait préparer tout le matériel nécessaire. Le côté positif de ce plan résidait dans le fait qu'avant d'aller dans les magasins de sport j'avais le temps de laisser tomber cette idée. La seule chose qui me plaisait consistait à m'équiper de A à Z. Je crois que, dès mes plus tendres années, j'avais éprouvé ces sentiments positifs vis-à-vis de ma tenue de gymnastique de l'école. J'avais un short bleu et un haut blanc sur lequel était brodé mon nom. Ma mère était excellente couturière et experte en l'art de la broderie. Elle avait admirablement décoré ma blouse et l'ensemble avait beaucoup de classe. A l'époque, j'étais assez mince, et les lettres s'étalaient distinctement. Maintenant, elles auraient été à peine visibles, noyées dans l'étoffe.

Non seulement je m'étais persuadée que l'exercice n'avait relativement aucune influence sur le contrôle du poids, mais encore il m'était de plus en plus difficile de trouver des vêtements de sport à ma taille, à moins de donner dans les articles pour footballeurs ! En outre, je n'avais pas vraiment le physique de l'emploi. On ne ressemble pas à un champion de coupe Davis quand on fait du 48 ! Le mot « collants » n'a plus aucune signification quand ceux-ci s'ajustent à des cuisses qui sont aussi grosses qu'un tour de taille ! Mon idée fixe était donc qu'il m'était impossible de participer à un cours de gymnastique tant que je n'aurai pas maigri. Dès que ce miracle se produira, je me sentirai mieux dans ma peau et serai moins embarrassée dans mes mouvements. En fait, de nombreux gros sont très agiles, mais ne veulent malheureusement pas s'exposer aux regards indiscrets des autres.

A une époque, j'ai failli me mettre au jogging. La présence d'élastiques à la taille des vêtements m'attirait tout particulièrement vers ce sport. Je me trouvais un survêtement de tissu éponge-velours bleu, des chaussures bleues, des chaussettes bleues, une casquette en tricot bleu et des lunettes de soleil bleues ! Je suis allée jusqu'à porter un soutien-gorge « spécial jogging », ce qui montre combien j'étais sérieuse. Je me trouvais superbe. La seule chose qui ne marchait pas du tout : le jogging ! — Heureusement, le survêtement ne fut pas un achat en pure perte. Je l'ai mis à un bal costumé et racontai à tout le monde que j'étais déguisée en Océan Pacifique.

Le docteur J.H. me fit bien comprendre qu'il ne voulait pas me voir courir. Je devais seulement marcher. Il m'enseigna à prendre mon pouls pour voir si mon pas était suffisamment accéléré. Mais il fallait surtout que je m'astreigne à cet exercice au moins cinq fois par semaine et que je ne saute jamais deux jours d'affilée. Bien sûr, on n'a pas besoin d'être médecin pour savoir que faire seulement quelques matches de tennis éprouvants par an vous assure vite la clé du paradis. En revanche, un entraînement régulier mais sans risque, augmente le bénéfice que l'on peut tirer de l'exercice physique propre. Selon certaines études, pratiquer un sport quatre ou cinq fois par semaine est trois fois plus efficace que s'y on ne s'y adonne que trois fois par semaine ; quant à le faire une ou deux fois, cela n'a aucun effet !

Le docteur J.H. me fit aussi prendre mes mesures. J'étais parfaitement proportionnée. J'avais 10 centimètres de trop à chaque endroit clé. Je lui demandai s'il n'avait pas par hasard — indépendamment du fait que j'allais faire de l'exercice — quelque chose pour ma cellulite.

— Vous n'avez pas de cellulite, me dit-il.

Je crus alors que j'étais peut-être trop exigeante vis-à-vis de moi. Mes hanches n'étaient peut-être pas si mal. Non, me dit-il, vos hanches ne sont effectivement pas comme il faudrait, mais c'est simplement de la graisse, sous une autre forme. La cellulite n'existe pas.

Et il n'existe aucune méthode pour maigrir dans certaines régions bien précises. Je me sentais mal à l'aise en pensant aux heures passées à remuer toute cette graisse. Je ne le regrettais quand même pas. Il m'expliqua que, si on pouvait vraiment être efficace ponctuellement, les mâcheurs de chewing-gum n'auraient pas de double menton et les dactylos auraient toujours les doigts très fins. Mettre en jeu un seul muscle n'a jamais fait maigrir qui que ce soit.

La marche permet, en revanche, de faire travailler le plus grand éventail musculaire et fait disparaître la graisse de l'ensemble du corps. Aussi bien mes cuisses que les autres régions, qui, chez moi, étaient anormalement fortes s'aminciraient sans besoin de pratiquer un autre sport que la marche à pied. Cela semblait trop beau pour être vrai, mais je me résignai à suivre le programme du docteur J.H.

J'ai commencé le 1er février. Je savais que l'entraînement physique me poserait plus de problèmes que le régime. Après tout, je n'avais pas attendu cette expérience pour réduire mes calories. Mais je n'avais jamais fait les deux exercices ensemble. Je croyais que c'était impossible. Tout le monde sait qu'on a besoin d'augmenter ses rations quand on fait du sport. Par le passé, une de mes règles d'or consistait à doubler mon apport alimentaire pour chaque cinq minutes durant lesquelles je m'étais dépensée physiquement. Mais j'étais résolue à coller au programme.

Le début était assez doux. Or, une partie de ma façon de vivre repose sur la théorie que si un peu de quelque chose est bon, beaucoup est encore meilleur. Quand on me dit de m'échauffer pendant cinq minutes, je suis persuadée qu'il faut continuer pendant trente minutes. Évidemment, le jour suivant, je suis tellement crevée que je ne veux plus recommencer. Le docteur J.H. avait compris que j'étais comme ça et m'a conseillé de commencer par vingt minutes de marche, et seulement vingt minutes.

Le 1er février, je me levai et j'allai me promener pendant vingt minutes puis je revins et je pris mon petit déjeuner. Pendant cette courte marche rapide, tout en prenant mon pouls, comme on me l'avait dit, je transpirais quand même un peu.

Le lendemain, je décidai de faire cet exercice au moment du déjeuner et j'en profitai pour aller jusqu'au lac. J'en fis le tour pendant vingt minutes, puis je retournai au bureau.

Cela a continué pendant une semaine. Je faisais ma marche, mais c'était comme prendre une potion amère. Je la haïssais. Je n'ai jamais ressenti de douleur, parce que, en vingt minutes, c'est impossible, mais j'avais l'impression que cela durait une heure. Je le faisais parce que j'étais bien obligée.

Un beau jour, j'eus conscience que cette façon de faire n'allait pas du tout. Le matin, je me forçais à faire le tour du pâté de maisons pendant dix minutes. Je n'allais nulle part, ne regardais rien, et faisais le même trajet tous les jours. A l'heure du déjeuner, je faisais dix kilomètres de voiture pour parcourir mon petit circuit pendant vingt minutes. C'était ridicule.

« Mary Ellen, tu fais partie des individus qui ont besoin

d'un but pour accomplir ce qu'ils ont à faire, me dis-je, certains aimeraient se promener sans dessein particulier, mais pas toi. Alors fixe-toi quelque chose. »

Ce dimanche-là, je me rendis à pied jusqu'à l'église. Cela m'avait demandé trente minutes pour y arriver. Je me sentais tellement bien qu'une fois l'office terminé, je rentrai à la maison à pied. Je me mis à aller voir mes amis sans prendre la voiture. J'allai de même jusqu'à l'épicerie.

C'est alors que je cherchai d'autres alternatives. Je décidai d'essayer d'aller à mon bureau à pied. C'était à une heure de marche. Je me mis un walkman et pris plusieurs cassettes. J'étais devenue ma propre voiture. Plus je me promenais ainsi, plus j'appréciais cette activité.

Les amis qui ont l'habitude de courir m'ont dit qu'ils ne pourraient pas s'en passer une journée. « J'ai besoin de sortir et courir. Je ne me sens pas bien tant que je n'ai pas bougé », me disent-ils. Jusque-là je ne les comprenais pas. En quelques semaines d'exercice quotidien, mon corps commença aussi à réclamer.

Je ne dis pas que je n'avais pas quelques rechutes, mais j'arrivais à les enrayer. La chose la plus importante était d'arriver à passer la porte d'entrée. Une fois que j'y étais parvenue, j'étais sur ma lancée. Un jour, je me suis trouvée en train de siffler tout en marchant. Pour un tel changement, je n'étais pas tellement malheureuse ; j'appréciais réellement cette nouvelle vie. J'étais bien accrochée et j'en étais seulement au premier mois du programme.

Marcher me procura comme récompense supplémentaire des moments merveilleux avec mon fils. J'avais été vraiment inactive, mais maintenant Andrew commençait à prendre plaisir à venir avec moi. Autrefois, mes activités étaient centrées sur la nourriture. Parfois, nous allions ensemble au cinéma, mais la grosse gâterie consistait toujours à sortir pour ce que j'appelais euphémiquement

« manger un morceau ». Mon petit garçon n'aimait pas du tout rester assis au restaurant. Il préférait s'amuser dehors et quand il vit que je pourrais venir avec lui : « Quand tu veux, le jour que tu veux, Maman, dit-il, tu peux me réveiller tôt. Je viendrai avec toi. » Il enfourchait sa bicyclette et allait et venait tandis que nous nous promenions ensemble. Il n'existe rien d'autre qui ne m'ait donné une telle forme que la marche à pied. J'ai probablement plus bougé depuis ce mois de janvier que depuis l'âge de dix-neuf ans. Je ne sors plus de mon lit en titubant, je me lève d'un bond. De nouveaux verbes ont fait leur entrée dans ma vie : sauter, courir. A New York, j'avais l'habitude de faire des courses en taxi tellement courtes que le compteur ne sautait même pas. Maintenant, c'est moi qui saute ! Je n'utilise pas l'excuse de ne pas pouvoir marcher avec mes talons hauts, je garde des chaussures de tennis « carrioles » en toile très agréable et je les transporte partout.

J'avais l'habitude de prendre mes jambes comme un fait établi. Maintenant, lorsque je marche, je sens qu'elles me portent tout le long. Parfois, je regarde par terre et je les vois bouger. Je sens qu'à chaque pas, elles deviennent plus fermes et plus puissantes. Je m'imagine qu'avec chacune d'entre elles, je laisse un peu de graisse derrière moi.

A mi-chemin de mon régime, ces mêmes jambes m'entraînaient. Elles me sortaient pour faire la bombe...

8.

QUAND L'HEURE DES COMPLIMENTS EST PASSÉE

Figurez-vous que je suis à mi-chemin ! 80 kilos. Un peu moins qu'une crémière de Pont-Aven, un peu plus qu'une gymnaste russe, et je m'y tiens. Je n'ai pas perdu une livre en deux semaines. Suis-je folle ? Pourrai-je me reprendre ? Bien sûr, je peux manger n'importe quoi. Le seul problème, c'est quoi donc ? Je suis à New York, au paradis des gourmands.

Je passe une robe non ceinturée, j'erre dans les rues ; je suis un piéton supplémentaire avec des soucis, le mien se nomme « gâteau ».

Je rentre dans le premier endroit connu, un de ces lieux avec des plats préparés sur des étagères tournantes à l'intérieur des vitrines. Les pâtisseries sont situées très haut, aussi haut que la coiffure de la vendeuse qui m'accueille. Le garçon me donne le menu et je passe directement à la dernière page. Elle est intitulée « Le grand final ». Une feuille entière de desserts. Je choisis quelque chose de simple : une tranche de gâteau au chocolat recouverte d'un glaçage et un verre de lait écrémé. Qu'est-ce qu'un gâteau sans lait ?

La commande arrive en moins d'une minute. Tandis que le garçon la pose en face de moi, il me fait un petit sourire et me dit : « Bon appétit, c'est succulent. »

Oui. Il a bien dit « succulent ». Je suis sauvée. J'ai envie de me lever pour l'embrasser. Je n'ai plus du tout faim ! Je laisse le gâteau et le lait sans y toucher, abandonne un large pourboire, paie l'addition et passe la porte.

Encore récemment, il y avait toujours quelqu'un pour donner une explication psychologique à mes fringales. Elles étaient le résultat de conflits insolubles ou d'une dépression secondaire au régime, qui dépassait ma volonté. Puis l'Association américaine de psychologie a déclaré qu'être gros relève uniquement d'un problème physique — pas du tout psychologique. Cela m'était agréable : je n'avais jamais aimé l'idée que j'étais grosse parce que j'étais psychopathe !

Bien sûr, à long terme, cela n'avait aucune importance. Je me privais et j'essayais de faire fonctionner à nouveau mon métabolisme, et peu importait ce qui me poussait à grignoter, je devais trouver un moyen de m'arrêter.

Comme d'habitude, les premiers jours de mon programme avaient amené un air frais.

Certainement, je mangeais moins, marchais plus que ce que je voulais, mais le début d'un régime est comme le début d'une histoire d'amour. On se sent altier et optimiste et on perd son temps à rêvasser au futur.

Au bout de quelques jours, entre la marche et le régime, j'avais perdu au moins 3 kilos. « Ma petite, tu tiens le bon bout, pensais-je, j'ai déjà plusieurs bonnes journées derrière moi. » J'avais envie d'accélérer le mouvement. J'étais encouragée à commencer par des basses calories. Je me sentais comme mère Teresa, pleine de bonne volonté pour les autres et pour moi, purificatrice, et un peu faible aussi, ce qui, avec 101 kilos, est l'indication d'une imagination débordante. Le docteur J.H. me rappela que si je jeûnais, je ne perdrais pas un pouce de graisse. Tout ce qu'on perd, dans ce cas, est essentiellement constitué par de l'eau. Il me conseilla de m'allonger, de me relaxer et de suivre le programme.

Mais je planais tellement, j'étais tellement sûre de me contrôler, que je ne pouvais pas attendre pour me mettre à l'épreuve. On commença à me lancer des invitations. J'en étais encore aux premiers jours, les moments les plus stricts, mais « je peux me prendre en main », pensais-je, et j'acceptai de sortir. Je me retrouvais en train de me servir dans le panier à pain, et de tartiner des tranches épaisses avec du beurre. C'est alors que je compris que je n'étais pas encore prête à participer à de telles manifestations. La soirée se révéla quand même une expérience positive, parce que j'arrivai à oublier cet écart et à reprendre mon programme. De plus, les menus du régime étaient bons, et à raison de trois repas par jour, j'étais satisfaite et j'appréciais la nouveauté.

Me tenir à carreau devint plus facile dès que je reçus des compliments de la part de mon mari et des amis. J'aimais leur attention. C'était formidable ! Je ne parlais que de la forme merveilleuse que je commençais à avoir, de mon sentiment de bien-être et de ce que je mangeais ou non. Si la conversation ne tournait pas autour de moi, je pensais pouvoir au moins la mener moi-même.

Mon ami Ian inventa un petit concours qu'il intitula les « olympiades de l'ennui ». Il y avait toute une panoplie de compétitions telles que : l'« ennui le plus rapide » ou le « marathon de l'ennui ». Il me décerna la médaille pour mon régime et ma marche à pied ! Je devenais la championne du monde de l'ennui.

« Assez maintenant, pensais-je, la vie continue, les saisons passent ; Liz a des problèmes conjugaux ; il y a un nouvel héritier au trône d'Angleterre ; bref, il y a d'autres sujets de conversation que les moyens de perdre le pneu que tu as à la ceinture ! Prends de la distance avec les événements. On veut moins entendre parler de ta binette et de ton régime. Profite des compliments et tais-toi. »

La période vraiment dure allait commencer. Les félicitations s'arrêtèrent effectivement. C'était difficile à endurer. J'avais du mal à être fidèle au programme, mon poids stagnait et je perdais même toute satisfaction à monter sur la balance. De plus, nous avions perdu, mon régime et moi, le numéro un du hit-parade ! Cela m'a conduit tout droit à demander ce gâteau.

Quand le garçon parvint à me sortir de mon humeur, je compris combien j'avais besoin de beaucoup d'attention pour m'aider à continuer. Quand on ne cesse de vous assener combien vous semblez en forme, non seulement ça vous donne l'impression d'être bien, mais ça vous empêche aussi d'empiler les portions sur votre assiette.

Je m'arrangeai pour sortir avec des amis. Autrefois, quand je suivais un régime « basses calories », je m'enfermais les trois quarts du temps à double tour, je me couchais tôt et faisais mon possible pour me tenir à l'écart de l'humanité et du réfrigérateur. On peut hiberner pendant au moins deux semaines, quand on est une créature aussi sociable que moi. Je savais que j'en avais pour plus de deux semaines, je devais donc trouver un moyen pour être sociable sans trop me laisser aller.

Après le petit écart de ma première réception, j'ai quand même restreint mes activités au tout début, mais au bout de quelques semaines, le régime était devenu, pour une bonne partie, de la routine. En plus, le docteur J.H. insistait pour que je tienne un véritable journal de ce que je mangeais tous les jours, tout en faisant le compte des calories. Suivant scrupuleusement toutes ces indications, cette méthode m'a semblé, au début, complètement idiote. Ça me rappelait l'époque où j'étais gamine et où je faisais des tables de multiplication. Après avoir écrit plusieurs fois : une pomme de terre cuite au four de taille moyenne = 100 calories, je connaissais les chiffres par cœur. Je savais déjà mieux quels risques je prenais, en goûtant un peu de cela ou de ceci. Je n'oublierai jamais le jour où, en parcourant le livre des calories, j'ai vu qu'une poignée de cacahuètes faisait largement 100 calories. Je voulais téléphoner, afin de les avertir, à tous mes amis. Je ne savais pas à qui écrire pour me plaindre ! Je n'avais jamais appartenu à ce genre d'individus, se rendant à des réceptions plus pour les petits fours que pour la conversation, mais il me semblait qu'il ne serait pas mauvais de m'éloigner du buffet.

Dès qu'on se mit à parler un peu moins de mon poids, je tentai de trouver un moyen pour y faire revenir la conversation. Je décidai de changer de style. En m'attaquant à mon apparence physique, je pensai que je me détournerais de cette damnée balance !

Quand j'étais énorme, j'étais toujours parfaitement soignée. Mes cheveux étaient nets, mon maquillage sans défaut. J'avais les ongles longs et vernis. Je ne portais jamais de talons plats. Je me sentais plus mince, en me surélevant.

Quand je partais en voyage, j'emmenais toujours une multitude de bagages. Quand on est gros, il est utile d'emporter beaucoup de vêtements. D'une part, les affaires se froissent beaucoup plus vite que celles des gens minces ; d'autre part, on ne se sent jamais vraiment bien dans quelque tenue que ce soit et on s'imagine que la solution est d'en changer, ce qui est faux, bien sûr. Enfin, on doit se tenir prêt à parer à tout événement imprévu. On ne trouve pas à chaque coin du globe de collants géants violets. Quand un imbécile trouve une piscine chauffée en plein Alaska, on préfère avoir dans son sac son propre maillot de bains au cas où personne ne pourrait vous en prêter un !

J'avais envie d'attirer l'attention, aussi je me mis à faire exactement le contraire de ce que l'on attendait de moi. Comme j'avais un peu minci, je ne craignais plus rien. J'allai me faire couper les cheveux de façon à ce que je n'ai guère besoin de m'en occuper. A bas le vernis à ongle et les ongles longs ! Mes robes en soie furent léguées à l'Armée du salut et troquées contre des chaussures de tennis et des chemises rentrées dans les pantalons. Personne ne pourrait me reconnaître !

Dès lors, je me mis à changer de style chaque fois que je commençais à me sentir mal dans ma peau en usant presque toujours de coiffures et de maquillages différents. J'achetai plusieurs perruques à bon marché pour rendre la transformation plus théâtrale. D'une semaine sur l'autre, j'étais, soit totalement insouciante, soit pleine d'ambition, ainsi je retrouvai de nouveau tout mon charme. Je continuai ce système pendant des mois. Mes amis m'avaient surnommée Sibylle, comme la devineresse, mais cela ne changea rien à ma nouvelle façon d'agir.

Environ un mois après le début du régime, j'étais suffisamment sûre de moi pour me débarrasser de ma garde-robe de grosse. Un grand nombre de mes vêtements portaient encore l'étiquette indiquant le prix — pas la taille, j'avais l'habitude d'enlever celle-là immédiatement. Parmi ces habits, certains étaient plus petits et prévus pour mon après-amaigrissement. Cependant, ils étaient déjà trop grands.

A partir de ce moment-là, je ne trouvai plus rien à mettre qui soit à ma taille. Tout était trop large. Je m'autorisai la dépense de quelques nouveaux vêtements. Je sais que c'est un peu du gâchis, mais il est difficile de continuer à porter du 52 quand on ne fait plus que du 48 ! Achetez-vous donc quelques pantalons et quelques chemises à bon marché pour la période transitoire, et n'oubliez pas que vous avez économisé de l'argent en vous restreignant sur la nourriture.

Je faisais toujours la cuisine pour la famille, pendant mon régime. Autrefois, j'avais énormément de mal à m'empêcher de plonger mon doigt dans la casserole pour goûter. C'était moins un problème maintenant. J'accomplissais un effort pour éviter de le faire, et je ne cuisinais plus des plats qui incitent directement à de telles dégustations. Impossible de saucer un filet de maquereau grillé !

Même après avoir terminé la partie rigide de mon programme diététique, j'aimais planifier mes repas, en particulier les dîners. Je prenais mon bloc-notes et mon livre de calories et j'inscrivais mes menus pour la semaine. Évidemment, cela facilitait mes courses.

Au début, je repris un grand nombre des aliments que j'avais déjà utilisés les deux premières semaines, d'autant que la diététicienne, qui les avait choisis, avait fait des menus absolument délicieux. Dès que j'eus le sentiment de faire des choix intelligents, je me lançai en dehors des premières directives.

Ma famille aimait bien ce nouveau système. Autrefois, nous mangions invariablement la même chose et principalement de la viande de bœuf. J'avais tendance à ne faire aussi que du poulet, pour sa faible teneur calorique, mais à la suggestion de la diététicienne, je me mis à varier les menus pour mon propre plaisir et celui de ma famille. Je me suis découvert ainsi de nouveaux talents culinaires. Un soir, gratin de crevettes, le lendemain un autre mets. Sherm et Andrew attendaient avec impatience ce que nous allions déguster.

Heureusement, je n'ai jamais eu les mêmes problèmes que mes amies : leurs maris ne voulaient pas des plats qu'elles leur préparaient quand elles étaient au régime. Bien sûr, ma première réaction est de dire que si un bonhomme ne veut pas laisser tomber son steak frites pour vous, mieux vaut le quitter. Comment peut-il ignorer que vous profiterez ensemble de votre transformation ? En outre, si vous êtes en meilleure forme, vous sortirez beaucoup plus et plus longtemps, et s'il vous aime vraiment, cela devrait lui plaire.

Mais je ne peux pas affirmer que mes efforts n'ont jamais été sabotés. Dans tous les mariages où l'un des deux conjoints a un problème de poids, le plus mince dit :

« Allons manger. » Il sait que cela mettra l'autre de bonne humeur. Cette attitude ne répond pas nécessairement à quelque méchante arrière-pensée. Mais au contraire, c'est une question d'amour : « Tu as bien travaillé, maintenant, tu as un peu minci, alors mange donc une glace. »

C'était exactement la même chose quand nous allions chez ma mère. Les dimanches chez elle ont toujours constitué un véritable événement pour mes deux frères, ma sœur et moi. Nous lui laissions tout installer, puis nous nous payions un bon repas. Je me souviens d'un certain dimanche, fête des Mères. Il se trouvait plusieurs sortes de gâteaux sur la table. Je m'apprêtais à en prendre une petite portion. Quelques cuillerées suffisaient réellement. Tout à coup, j'entends : « Oh, Mary Ellen, tu devrais mieux te servir. C'est ma fête aujourd'hui. »

Il y a de quoi enrager, avant de comprendre qu'on est encouragé par quelqu'un qui est persuadé que cette pâtisserie vous fera du bien. C'est évident qu'on se sentira mieux. Aussi longtemps que le morceau est dans la bouche ! Pas de ça maintenant ! Il faut commencer à voir plus loin.

Ce dimanche-là, je posai pour des tas de photos. Celles-là ont deux utilités fondamentales : elles démontrent à la fois qu'on a maigri et qu'on ne peut pas encore être qualifié de vraiment « mince ». Ces clichés, ayant été pris au milieu d'individus de taille normale, constituèrent une sorte de point de repère pour moi. Et même maintenant, quand je les regarde, c'est la première fois que les gens qui sont avec moi n'ont pas l'air d'avoir des bras et des jambes comme ceux d'Olive, la femme de Popeye, en comparaison des miens.

J'ai vu à la télévision une femme qui a perdu 75 kilos grâce à un régime alimentaire naturel. L'émission la montrait à son poids maximal, puis à son poids idéal. Au total, elle ne semblait pas aussi bien qu'on aurait pu le croire, car son corps n'avait aucun tonus ; elle n'avait fait aucun exercice physique. Elle ressemblait simplement à une miniature d'obèse avec les mêmes bras potelés, en plus petite dimension. Elle ne prenait pas autant de place, mais on avait l'impression qu'elle n'avait guère changé. Heureusement, je m'aperçus que ce n'était pas mon cas. Je me sentais alors en pleine forme !

Il me fallait avoir cette image en tête pour continuer quand j'eus envie de tout laisser tomber, environ aux trois quarts du chemin, près du but. J'ai rencontré dans un restaurant des amis qui ne m'avaient pas vue depuis longtemps. Qu'est-ce que j'ai entendu comme : « Eh Mary Ellen, je ne peux pas le croire, tu as l'air d'une star de cinéma. » Tout à coup, au milieu du repas, l'un d'entre eux s'est exclamé : « Tu sais, tu es vraiment différente. Tu n'es plus drôle du tout. »

Devais-je choisir entre être amusante ou être jolie ? parce que si on en était arrivé là, je préférais encore passer un bon moment plutôt que me regarder dans la glace. Quand je fus enfin arrivée au poids idéal, j'ai compris que je pouvais être les deux en même temps…

9.

ADIEU LA GRAISSE

Je crois fermement que l'obésité représente la meilleure technique de contrôle des naissances. Il m'a fallu beaucoup maigrir avant qu'on se mette à me taper sur les fesses plutôt que dans le dos. Je me vois maintenant sous un jour complètement différent. Par exemple, j'aime porter des déshabillés. Je les détestais autrefois. J'en portais, bien sûr. Mais il est bien difficile de respirer avec passion quand on a peur de faire craquer les coutures. Oublions que le nylon peut être si costaud qu'on en fait des parachutes ! Il n'existait pas une seule chemise de nuit au monde conçue pour supporter la tension que je lui imposais.

Tandis que j'écris ces lignes, j'ai atteint le poids fixé : 67 kilos. C'est exactement ce qui me convient et je m'y suis stabilisée. Je ne suis cependant pas prête à me laisser influencer par le moindre anorexique qui dirait, à la télévision, que les sujets qui mesurent 1,65 mètre doivent peser 50 kilos ! Certes, je ne suis pas aussi fine qu'un roseau, mais je suis en forme. Je crois même que j'ai l'air assez jolie dans mes vêtements.

Quand je fais des courses, je n'ai pas besoin de demander à la vendeuse ce qui me va. Je m'en aperçois toute seule. Chaque fois qu'on me montre une robe qui a l'air d'un sac : « Enlevez-moi ça », dis-je. Je veux que tout soit parfaitement à ma taille. Je ne porterai plus jamais de tenue sans forme, mode ou pas mode. Je n'ai pas envie d'avoir l'impression d'être emballée comme un objet.

Par ailleurs, je ne suis pas non plus prête à signer pour concourir pour miss Amérique. J'ai mes propres chevaux de bataille, mes points de repère. Parfois, c'est dur de les suivre. Regardons les choses en face, il n'existe probablement aucune Américaine ni aucun Américain qui aimeraient jouer du violon avec ses proportions. Prenons un corps de ballet, par exemple. Les danseurs passent leur temps à faire travailler leurs corps et sont toujours au mieux de leur forme. Pourtant, certains d'entre eux ont parfois le buste trop développé, des cages thoraciques trop larges, des hanches trop fortes, ou encore une taille qui est loin d'être de guêpe. Il y a peu de Bo Dereck ou de Farah Fawcet !

Même si on soupçonne qu'on a plutôt la silhouette d'une bouteille de Perrier que celle d'un sablier, on n'a pas besoin de s'efforcer de passer du magnum au quart ! La théorie du poids d'équilibre naturel ne permet pas facilement de croire que la nature a prévu de ne pas dépasser 95 kilos pour tout individu mesurant moins de 1,80 mètre.

Au moment de la distribution des apparences, chacun hérite d'une couleur différente pour les cheveux, les yeux, la peau — de tout un ensemble. On reçoit même un poids normal — normal selon chaque individu. Qu'importe si cela ne fait pas rentrer dans la catégorie des mannequins à la mode ! Il n'y a pas suffisamment de travail pour tout le monde dans cette branche ! Peut-être décrochera-t-on une petite place parmi les personnalités, ou deviendra-t-on une mère parfaite ?

Le poids représente seulement une partie de soi-même. Passer définitivement de 100 à 80 kilos ou de 80 à 70 kilos est une prouesse suffisante dont on peut s'enorgueillir. Il ne faut pas lâcher le régime ni le footing. Quel que soit le résultat sur la balance, on est de plus en plus en forme. L'essentiel est d'avoir le maximum de masse musculaire et non pas de faire le compte des kilos.

Mais il faut absolument ne pas oublier que le programme que je conseille doit durer toute la vie. On peut me rencontrer en train de manger quelque part un hamburger et des frites, mais on ne me verra jamais passer une semaine sans faire de l'exercice. Il m'est arrivé de manger trop, certains week-ends, pas de me goinfrer, comme autrefois, mais de manger plus que ce dont j'avais besoin. Quand je suivais un régime sélectif, dès que je me permettais un petit extra, je reprenais au moins 2 ou 3 kilos. Actuellement, je grossis un petit peu, mais dès que je m'en aperçois, je rectifie le tir. Je trouve encore difficile de ne pas m'octroyer davantage d'écarts pour me restreindre encore plus par la suite, mais j'ai pris l'engagement avec mon corps de ne plus jamais recommencer. Je fais ce que me suggère le docteur J.H. : je supprime 400 calories, je continue la marche à pied et la situation retourne toujours à la normale en quelques jours.

Je note aussi tout ce que je mange tous les jours, même quand j'y suis allée un peu fort. Cela ne me gêne plus du tout. Cela fait partie de mon train-train comme de me brosser les dents. Entraînée à compter les calories, je suis toujours bien informée ; je peux évacuer la quantité de calories de presque tous mes aliments. Bien sûr, maintenant que mon métabolisme fonctionne normalement, je peux manger à peu près tout ce que j'aime pour mon plus grand plaisir.

J'ai été stupéfaite de découvrir que j'avais usé seulement deux paires de chaussures de marche. Autrefois, c'étaient des talons hauts — avec tout le poids qu'ils supportaient, je me demande comment ça ne les usait pas jusqu'au trognon en un rien de temps. Les baskets, c'est plus long à abîmer. Je songe à les faire métalliser pour en faire des jardinières, comme souvenirs.

J'en collectionne aussi dans mon album-photos. Quand je le feuillette, j'ai du mal à croire qu'il s'agit de moi. Je me vois comme quelqu'un de mince actuellement ; j'ai cessé la première de faire ces plaisanteries grasses auxquelles j'étais en butte, afin de les prévenir.

Je ne peux m'empêcher de m'étonner : comment ai-je pu me laisser aller à ce point ? Mais je n'essaie pas de me blâmer. J'ai tenté de contrôler mon poids, mais comme la plupart d'entre nous, j'ai été victime des mensonges d'un tas de soi-disant « experts en régime ».

J'en avais assez d'entendre parler de cure d'amaigrissement. Je brûlais de trouver un autre passe-temps. Mais rien à faire. Où que j'aille, la conversation revenait toujours sur ce sujet et il y avait toujours quelqu'un pour révéler un nouveau « régime miracle », recueilli auprès de n'importe quel extralucide ou charlatan.

Ces régimes avaient tous des noms différents, mais je les baptisais en bloc : « régimes bidons ». Ils ne reposaient sur aucune base sérieuse et relevaient de la science-fiction. Bref, j'attendais un miracle venu de l'extérieur.

Désolée, mais cela n'arrive jamais. C'est pourquoi, j'ai pensé que le moment était venu d'écrire un livre qui dise toute la vérité. Pas de formule magique. Pas de truc. Seulement l'assurance que ça marche. Ça demande beaucoup d'efforts mais je l'ai appris toute seule. Vous le pouvez aussi.

DEUXIÈME PARTIE

LE PROGRAMME

10.

SI VOUS VOULEZ VRAIMENT VOUS Y METTRE, LISEZ CE CHAPITRE

Je vais maintenant vous expliquer pourquoi mon programme diététique marche et pourquoi vous avez intérêt à le suivre — à condition, bien sûr, d'avoir l'accord de votre médecin traitant avant de commencer.

Si vous êtes comme moi, vous avez certainement envie de sauter cette partie pour en arriver directement au régime. Vous ne désirez pas du tout être éduqué. Tout ce que vous souhaitez, c'est simplement être plus mince. Mais le régime, en lui-même, est en fait la partie la moins importante du programme que je vous propose.

Ce n'est pas la restriction calorique, elle seule, qui vous donnera une silhouette de rêve. Vous n'y arriverez que si vous suivez complètement le programme. La seule façon de vous en convaincre est de lire ce qui suit. Vous saurez alors pourquoi vous allez perdre toute votre graisse et à tout jamais, ce qu'aucun scénario n'associant pas équilibre alimentaire et exercice ne saurait faire.

Peu importe qui viendra, par la suite, vous prodiguer des conseils : Untel vous disant de vivre exclusivement d'écorces d'arbre pour leur haute teneur en fibres ; Unetelle ne croyant qu'au régime de star de miss Univers ; tel médecin jurant sur son stéthoscope que suivre son régime magique à base d'aliments, qui rimeront entre eux, vous fera maigrir — mieux vaut, pour vous, économiser votre argent. Si vous continuez ces régimes délirants, vous risquez de craquer. Bien sûr, vous perdrez quelques kilos, mais, au bout du compte, vous les reprendrez tous. C'est ce qui se passe pour 98 % des gens qui sont dans ce cas. On est culpabilisé, déprimé et on se remet à manger jusqu'au prochain miracle.

Laissez-moi dire la vérité que la plupart des auteurs de livres diététiques ne disent jamais. Tant qu'un régime n'est pas fondé sur les principes que je vais vous livrer, il ne pourra jamais marcher.

Voici pourquoi vous avez tendance à l'embonpoint

— C'est peut-être génétique.
— C'est peut-être physiologique.

Les bonnes nouvelles d'abord

Si vous êtes gros, ce n'est pas de votre faute. On tient les obèses pour des gaspilleurs totalement aveulis. La plupart de ceux que je connais dépensent une quantité stupéfiante de volonté chaque fois qu'ils démarrent un nouveau régime ; ils peuvent échouer, mais ils font des efforts monstrueux. On croit aussi qu'il s'agit d'un problème psychologique : les obèses seraient de véritables épaves se tournant vers le réfrigérateur à chaque saute d'humeur.

En 1980, l'Association américaine de psychologie nous a sortis de ce guêpier en affirmant que l'obésité relève d'un désordre purement physique et n'est liée à aucun problème psychologique. Il arrive que l'on mange pour des raisons affectives — même les gens minces — mais c'est normal. On n'a pas besoin d'années entières de psychothérapie pour dévoiler des phénomènes inconscients, qui conduiraient à l'obésité. Félicitations ! Vous n'êtes pas fou, vous êtes simplement gros. Mais pourquoi mangez-vous tant ?

Vos gènes sont responsables de votre conduite

Vous n'avez pas l'habitude de penser à votre poids comme vous le faites pour vos cheveux ou votre peau. Pourtant c'est un trait de votre personnalité comme un autre. 40 % des enfants de parents ayant un surpoids auront eux-mêmes un problème de poids, sans doute parce qu'ils prennent l'habitude de trop manger. Il semble qu'il existe aussi un facteur génétique.

La quantité d'exercices physiques pratiqués intervient dans l'obésité. Des chercheurs de Harvard ont remarqué que même au cours de l'enfance, les individus se dépensent différemment. Les bébés les plus agités ont moins tendance à l'embonpoint, même quand ce sont aussi les plus gros mangeurs. Les bébés ayant moins d'appétit et plus calmes sont plus gros. Les petits rats, dont les mères ont fait de l'exercice au cours de leur grossesse, ont beaucoup plus de fibres musculaires que les autres. Si votre maman ne s'est pas entraînée, voilà encore une explication.

L'importance de l'obésité est également déterminée par le nombre et la taille des cellules graisseuses de l'organisme. La quantité semble fixée par l'hérédité. La majorité des provisions de ces cellules est acquise au cours des deux premières années de la vie, avec un supplément au moment de l'adolescence — les boutons et la graisse, pas étonnant que les moins de vingt ans soient si misérables ! Certains malheureux individus ont des cellules adipeuses à la fois très nombreuses et très grosses. Alors qu'on peut réduire la taille de ces dernières, on ne peut jamais agir sur leur quantité.

De plus certains organismes possèdent un élément particulier, qui leur permet de brûler leur nourriture plus rapidement que les autres. Il s'agit de la graisse brune dont l'existence a été confirmée par les scientifiques au cours des dernières années. On en trouve chez les nouveau-nés pour maintenir leur équilibre thermique. L'endroit où elle siège de préférence est situé entre les omoplates. Cette zone a été repérée par un thermogramme. On ne sait pas encore ce qui détermine la quantité de ce type de graisse. C'est peut-être génétique. Il existe une théorie démontrant que ce taux peut augmenter pendant une certaine période de suralimentation chez l'enfant.

Les études de sujets bien-portants à tous égards — aspect corporel, quantité d'activités et apport alimentaire — ont montré que leur métabolisme peut faire perdre deux fois plus de chaleur au corps et que cette déperdition calorique permet de brûler les calories en excès. En d'autres termes, les individus qui ont une quantité importante de graisse brune peuvent manger deux fois plus que les autres, sans prendre du poids. Inversement, un déficit de cette forme de graisse pourrait faire prendre du poids facilement, mais cela n'a pas été prouvé.

Finalement le système de régulation de votre organisme tourne mal, ce qui explique pourquoi votre voisin, qui a mangé la même quantité que vous, est prêt à s'en débarrasser, mais pas vous. Votre estomac et le sucre contenu dans votre sang peuvent lancer le message : « Stop. Ça suffit. » Malheureusement, le message, pour des raisons encore méconnues des spécialistes, n'arrive pas jusqu'à votre cerveau. Une étude du collège médical de l'université de Cornell a mis en évidence une substance fabriquée dans l'intestin grêle, qui pourrait signaler quand on a assez mangé. Cette molécule est retrouvée, en quantité inférieure, chez les rats obèses par rapport aux rats normaux. Cela pourrait aussi se vérifier sur l'homme.

Les besoins démesurés en hydrates de carbone, qui touchent plus souvent les femmes que les hommes, peuvent aussi avoir une explication chimique. Chez la plupart des sujets, une substance cérébrale appelée sérotonine augmente après la consommation d'hydrates de carbone, et fait disparaître le désir d'en absorber davantage. Chez certains obèses, l'activité de la sérotonine est diminuée.

Votre corps a peut-être un poids naturellement élevé

Certains spécialistes estiment que le corps possède un poids naturel ou d'équilibre, qui correspond à celui que l'organisme atteint quand on ne compte pas les calories. Vous souhaitez peut-être peser 65 kilos tandis que votre organisme tend naturellement vers les 80 kilos. Le Dr William Bennett et Joël Querin, qui ont développé cette théorie dans *Le dilemme du sujet en voie d'amaigrissement,* expliquent que faire un régime, c'est comme remonter à contre-courant : vous vous battez pour perdre du poids pendant que votre organisme se bat pour en garder. Ce problème serait peut-être lié à une substance appelée lipoprotéine lipase ou LPL, dont le taux sanguin est élevé chez les obèses. Les taux de LPL baissent au cours du régime hypocalorique, mais retournent à des chiffres élevés avec une alimentation normale.

Les remèdes

Qu'est-ce que cela signifie pour vous ? Tant qu'il n'existe pas une pilule capable d'agir sur les causes qui vous poussent à vous mouvoir aussi peu, à produire trop de cellules adipeuses ou trop peu de graisse brune et à souffrir certains désordres chimiques, vous aurez un problème. Tout comme lorsque vos cheveux sont d'une couleur terne ou votre peau est trop sèche. Vous pouvez changer la couleur de votre chevelure si vous ne l'aimez pas, vous pouvez faire quelque chose pour votre peau. Si vous êtes gros, il n'y a aucune raison de rester chez vous et de vous précipiter sur le premier paquet de biscuits venu. Les théoriciens du « poids d'équilibre » ne sont pas si affirmatifs et estiment qu'on peut le modifier. Vous pouvez donc certainement faire quelque chose. Mais pour cela, il faut que vous preniez votre temps, car c'est plus dur pour vous que pour le reste du monde. Ne vous inquiétez pas, on peut y arriver. J'en suis la preuve.

Pourquoi les régimes habituels vous font reprendre du poids

— Aucun n'est fondé sur l'équation exigeante de l'équilibre énergétique.

— Ces régimes rendent votre « système de combustion » paresseux et favorisent votre éventuelle prise de poids.

— Plus votre corps contient de la graisse, plus il vous est difficile de maigrir.

— Votre problème de poids est en réalité un « problème de graisse ». Vous ne risquez pas d'être une forte personne... mince !

Ce qui entre et ce qui sort

L'énergie issue de la nourriture que vous ingérez (ce qui entre) et celle que vous dépensez en vivant et en bougeant (ce qui sort) constituent les deux parties de l'équation énergétique qui détermine votre poids.

Les régimes habituels concentrent votre attention sur ce qui entre, ce que vous mangez ou non. Par exemple lorsque vous mangez des pamplemousses, des œufs ou du fromage blanc, vous restreignez vos apports, et rapidement le poids s'effondre. Cette approche repose sur l'hypothèse que chaque organisme fonctionne de la même façon, ce qui, évidemment, n'est pas vrai.

Pensez à une voiture : la consommation d'essence ne dépend pas de ses dimensions et de sa carrosserie, mais de la puissance du moteur. Les êtres humains sont des êtres vivants, si bien que chacune des plus infimes parties d'entre eux utilise la nourriture comme source énergétique. C'est pourquoi un fort des halles de 110 kilos a besoin de s'alimenter plus qu'une secrétaire de 55 kilos. Même parmi les gens qui ont un gabarit identique, il existe des écarts dans la façon de consommer l'énergie fournie.

Le bon sens veut que, pour maigrir, il faut manger moins que ne le réclament nos propres besoins. Même les régimes, qui ne jouent pas sur la quantité, restreignent toujours une partie des aliments et sont fondés sur la réduction de l'apport calorique. On a, du reste, démontré que, de toute façon, lorsque l'on suit un régime sélectif, on finit par se lasser et manger moins que d'habitude.

Les régimes les plus banals sont axés sur la réduction de ce qui entre, mais jamais sur l'autre moitié de l'équation énergétique : comment brûler cette énergie ? La meilleure réponse à cette question est : faites de l'exercice. Vous n'ignorez certainement pas la distance qu'il faut parcourir pour éliminer les calories contenues dans une pomme. Mais, comme je vais vous l'expliquer dans ce qui suit, l'exercice physique est encore plus important que vous ne l'imaginez.

Les régimes habituels aggravent votre problème

Si vous avez tendance naturellement à être un peu fort, vous avez probablement commencé votre premier régime dès que vous vous êtes intéressé au sexe opposé. C'est de là que viennent vos premiers soucis. Voici comment :

— Vous avez perdu du muscle.

Vous avez maigri d'environ 10 kilos, dont la moitié était constituée d'eau et le reste de graisse et de muscle. Désolée pour vous, mais c'est comme ça. Nous en verrons les conséquences plus tard.

— Vous avez ralenti votre métabolisme.

Celui-là correspond à l'énergie que vous utilisez — la nourriture que vous avez mangée ou que vous avez stockée sous forme de graisse — et à la chaleur que vous produisez.

L'évaluation de votre métabolisme de base montre le nombre de calories que vous consommez au repos.

Le docteur J. H. m'a expliqué que, lorsque la ration alimentaire tombe brutalement, le corps lutte contre la perte de poids en brûlant la nourriture le plus lentement possible. Cet effet se prolonge pendant quelques semaines, peut-être plus.

— La reprise de poids de la « fin de régime ».

Vous fatiguez votre organisme en absorbant moins que ce dont ce dernier a besoin. Deux événements interviennent à la fin du régime :

1° la fatigue et la dépression, induites par la restriction, renforcent votre appétit et vous poussent à trop manger.

2° votre métabolisme est encore ralenti alors que vous vous alimentez autant qu'avant le régime, voire même plus.

Certaines expériences consistent à priver de nourriture des rats pendant quelque temps, puis à les alimenter de nouveau normalement. Au cours de la première semaine, ceux-là reprennent vingt fois plus que les animaux qui ont reçu le même nombre de calories, mais sans avoir préalablement subi de restriction. Dans une autre théorie, on impute ce phénomène au taux de LPL dont j'ai parlé dans les pages précédentes. Lorsque j'ai appris cela, j'ai, pour la première fois de ma vie, pensé avec compassion au sort de ces pauvres rongeurs !

— C'est pourquoi tout régime amaigrissant devrait faire correctement fonctionner votre métabolisme, tout en augmentant progressivement votre ration au fur et à mesure de la perte de poids.

Avec notre programme, votre métabolisme s'adapte, travaille de plus en plus dur et ne se ralentit pas comme au cours des régimes classiques. Une fois le but fixé atteint, vous brûlez sans problème toutes les calories que vous consommez.

Être gros vous entraîne dans un cercle vicieux

J'ai dit que les régimes amaigrissants font perdre du muscle. Lorsqu'on ne fait pas d'exercice physique, on remplace le muscle par de la graisse.

Voici comment cela se passe : le tissu adipeux est, pour sa majeure partie, inerte. Le processus métabolique s'y poursuit avec un faible rendement et nécessite peu de calories. En revanche, la masse musculaire est active et utilise beaucoup de calories. Plus votre corps est composé de muscles, plus vous consommez d'énergie simplement en respirant ou en marchant. Et vice versa.

Si après la restriction, vous reprenez du poids, c'est que vous avez sans doute repris la même ration alimentaire qu'avant votre régime. Comme vous n'avez fait aucun exercice physique, votre corps contient un pourcentage de graisses plus élevé qu'avant et n'a pas besoin de la même quantité de nourriture.

Lorsqu'on est gros, l'organisme ne brûle pas les graisses correctement.

Tout ce que vous mangez est composé de protéines ou protides, d'hydrates de carbone ou glucides et de graisses ou lipides. Lorsque vous avez besoin d'énergie, votre corps en utilise en brûlant les hydrates de carbone en premier et en les convertissant en glucose. Comme la quantité de glucose disponible est relativement restreinte — le sucre absorbé étant très vite métabolisé dans le foie — l'organisme, après avoir utilisé ce dont il a besoin, met le reste en réserve.

Les êtres humains et les animaux emmagasinent tous les excès de nourriture sous forme de graisse. Les chameaux, eux, la gardent sous leur bosse et la transforment en eau, en prévision de leurs longs voyages dans le désert.

Cela m'a même inspiré un poème :

Tandis que la graisse du chameau, dans sa bosse, est stockée,
La vôtre fait vers le haut des bonds remarqués.
Cet animal, sa soif peut étancher
Pendant que vous n'avez plus qu'à pleurer !

Il est injuste que les sujets qui ont tendance à l'embonpoint ne se débarrassent pas aussi facilement de leurs réserves que les sujets minces. Quand on est en forme, on peut volontiers puiser dans son stock. Voilà pourquoi, les obèses, qui ne tiennent pas la distance, ont souvent envie de manger après un effort physique. C'est seulement après un long laps de temps que leurs provisions en graisses peuvent diminuer. Au cours des famines, les individus qui restaient gros, étaient vraiment destinés à cette « servitude ». Dans une civilisation d'abondance comme celle des États-Unis, ce type se retrouve de plus en plus fréquemment. Devenir gros vous prédispose à grossir.

Le processus métabolique des obèses est altéré. Leurs cellules adipeuses emmagasinent facilement plus de graisse que les gens minces. Votre problème n'est pas simplement — pardonnez l'expression — d'éviter de devenir « étoffé ».

La balance ne dit pas tout

Comme la plupart des gens, je fais référence à mon problème de poids avec ménagement. Assez tergiversé ! Le problème, c'est la graisse. Il existe même des personnes « minces » qui ont ce problème. Habillées, elles semblent squelettiques. Vous seriez soulagé de savoir que, nues, elles nous ressemblent, à vous et moi. Vous en connaissez certainement autour de vous.

Beaucoup de femmes se plaignent de manger à peine et de ne jamais avoir de silhouette élancée. La majorité des Américaines consomme moins de 1 600 calories par jour, ce qui serait normal pour un poids de 60 kilos — idéalement pour maintenir son poids, il faudrait consommer environ 28 calories par kilo — cependant le poids moyen des Américaines est nettement supérieur à 60 kilos ! Elles ne sont pas en forme et ont détruit leur organisme avec les régimes amaigrissants.

Normalement un corps féminin devrait être composé d'environ 22 % de graisse (17 % pour le sexe masculin), néanmoins le plus souvent ce chiffre dépasse les 45 %. Pour connaître votre proportion personnelle, il faudrait subir des examens sophistiqués, mais vous pouvez vous en faire approximativement une idée avec le petit test suivant :

— prenez, en pinçant la peau, un pli vertical au dos du bras, à mi-chemin entre votre épaule et votre coude ;

— un pli horizontal environ à un pouce sous votre taille et un pouce à droite de votre nombril ;

— un pli diagonal juste au-dessous de votre hanche ;

— un pli vertical à la face antérieure de votre cuisse.

Si vous avez le moindre doute, faites la même expérience avec une amie maigre et comparez. Mais vous pouvez tout aussi bien me croire : si vous parvenez à pincer l'équivalent d'un ou deux pouces de ces endroits au minimum, vous êtes trop gros.

Lorsque j'ai appris que le métabolisme des hommes était plus élevé que celui des femmes, j'ai trouvé cela totalement injuste. J'ai même envisagé de changer de sexe ! C'est à ce moment-là que l'on m'a expliqué que les hommes brûlent leur nourriture plus vite parce que leur corps est moins adipeux.

Augmenter le pourcentage de muscle, tout en diminuant celui du tissu adipeux, est vital dans le but de vous rendre une silhouette de rêve. Le seul moyen pour y parvenir est d'accomplir un exercice physique régulier.

Pourquoi notre plan est le seul qui puisse marcher

— La réussite est assurée en combinant le régime et l'exercice physique ;

— une restriction alimentaire déséquilibrée est dangereuse ;

— manger plusieurs fois par jour vous aidera ;

— l'activité est essentielle ;

— il est nécessaire de changer ses habitudes.

Comment faire fonctionner un tel programme

Il doit inclure un régime afin de modifier vos entrées énergétiques de l'exercice et de transformer le système de régulation de vos sorties énergétiques ; un ensemble de lignes directrices vous aideront à changer vos habitudes alimentaires.

Tout doit commencer avec une restriction alimentaire équilibrée

Le Comité d'hygiène et d'éducation de la santé conseille de veiller à une alimentation quotidienne composée de 15 à 20 % de protéines, de 50 à 65 % d'hydrates de carbone et de 20 à 30 % de lipides ; d'éviter les sucres et les graisses en excès ; de manger quatre fois par jour sans sauter un repas, même le petit déjeuner. Combien de fois n'avons-nous entendu ces recommandations ! Mais en avez-vous jamais eu l'explication ?

Se nourrir de façon équilibrée prévient la faim et garantit une bonne santé. Comme vous le savez maintenant, votre organisme utilise d'abord les hydrates de carbone, puis les graisses. Ce sont elles qui vous donnent cette sensation de satiété qui vous empêche de trop manger. Aussi, chaque régime devrait en comporter même en quantité modeste.

Si vous ne consommez pas assez d'hydrates de carbone, vous interférez avec la séquence normale métabolique. Votre corps va alors s'attaquer aux protéines avant les lipides. Celles-là sont issues du muscle, qui fait partie intégrante de votre organisme et n'est pas une source d'énergie. La machine peut s'épuiser et même les organes comme le cœur peuvent être touchés. Plus l'amaigrissement est rapide, comme dans la plupart des régimes, plus il porte sur le muscle et non sur la graisse. Le tissu adipeux renferme beaucoup plus de calories au kilo que le tissu musculaire, et il faut donc davantage de temps pour en perdre la même quantité. De plus, le muscle, comme la graisse, contient beaucoup d'eau. Des expériences ont placé des animaux sous un régime restrictif sélectif et d'autres sous un régime équilibré. Les premiers ont perdu du poids plus précocement, les seconds ont perdu plus de tissu adipeux que musculaire. Après un régime sélectif (sur un type d'aliments : la banane ou le yaourt), vous pouvez maigrir plus, mais garder une masse graisseuse élevée.

Un régime trop riche augmente votre poids naturel. Mais cela n'est pas une surprise. Lorsque les animaux de laboratoire sont nourris de graisse et de sucre, ils en mangent encore plus. Les rats, qui habituellement ne sont pas gros, prennent du poids avec une alimentation composée de beurre de cacahuètes, de sandwiches, de gâteaux, de cocktails, tout ce qui a bon goût mais qui est mauvais pour la santé.

La nature a doté ses aliments d'une valeur nutritionnelle basse pour éviter que les animaux n'abusent de nutriments trop riches. A l'époque de la création, les sacs de bonbons et les coupes de glace à la crème ne se trouvaient pas à chaque coin de rue.

Manger fréquemment vous aide à rester mince. Il est prouvé que lorsque l'on prend un seul gros repas par jour, on met en réserve plus de nourriture que lorsque l'on mange plusieurs fois. Les spécialistes ne savent pas pourquoi, mais on fabrique plus facilement des graisses en ne consommant qu'un seul repas par jour. De plus, le simple fait de se nourrir semble brûler les calories, expliquant pourquoi manger régulièrement est parfois plus efficace que jeûner. Ce phénomène s'appelle la thermogenèse du jeûne.

Qu'est-ce que la thermogenèse ?

Votre corps utilise la nourriture de plusieurs manières. Une partie est utilisée pour faire fonctionner l'organisme, de la respiration en mouvement. Une autre partie est mise en réserve. Ce processus est appelé thermogenèse. Pensez à la chaleur fournie par toutes les machines.

Un exemple est celui de la chaleur dégagée en mangeant. Lorsqu'on a de la fièvre, le simple fait de manger augmente la température. De même on frissonne pour tenter de se réchauffer.

Quand on est trop gros, la thermogenèse est élevée pour faire perdre à l'organisme plus de calories sous forme de chaleur et en garder moins sous forme de graisse. Deux facteurs peuvent influencer ce phénomène.

L'un est représenté par la graisse brune dont j'ai déjà parlé, mais dont on ignore quel est le mécanisme qui lui permet d'augmenter. L'autre est représenté par le muscle squelettique (par opposition au muscle organique comme le cœur). On sait comment agir sur ce dernier paramètre ; on peut en fabriquer et augmenter ainsi l'effet thermogénique, grâce à l'exercice.

L'exercice a autant de valeur que le régime

L'exercice a plusieurs rôles importants. Les sujets qui ont plus de muscles perdent plus de calories sous forme de chaleur. En outre, en développant votre muscle squelettique pendant que vous êtes au régime, vous éviterez de prendre cet aspect décharné de certains sujets trop minces, et vous aurez plutôt l'allure de Bo Derek ! On devient étique tout simplement quand on a perdu trop de muscles. De plus, lorsque les fibres musculaires ne sont pas sollicitées, elles rétrécissent et ne redeviennent jamais comme avant. Les couches de graisse ne sont ainsi plus ceinturées.

L'idée consiste à remplacer de la graisse par du muscle. Ma mère m'avait expliqué que si je faisais un peu de sport, ma graisse se transformerait en muscle. Maintenant, je sais quoi répondre à ma mère : cela est à peu près aussi vrai que d'imaginer la fée Carabosse se transformant en princesse !

Les muscles ressemblent à un joli steak marbré. Le but essentiel est de les garder tout en éliminant le gras. En fait, tout ce qu'on peut faire se limite seulement à la deuxième proposition : éliminer le gras.

Notons aussi que, le muscle étant plus dense, lorsqu'on en fabrique, on pèse parfois un peu plus lourd mais on flotte quand même dans ses vêtements. Réduire vos calories tout en vous dépensant physiquement aboutira sûrement à un amaigrissement.

L'autre rôle de l'exercice est d'augmenter le rendement métabolique. On sait combien de calories sont utilisées au cours de l'activité sportive. Les spécialistes ont découvert que cette dernière peut accélérer le métabolisme pendant environ vingt-quatre heures. Longtemps après vous être dépensé, votre corps consomme les calories plus vite pendant que vous bougez normalement ou pendant que vous dormez.

En prime, les spécialistes pensent que l'exercice pendant l'heure qui suit un repas accroît la vitesse de la thermogenèse de jeûne.

Cette activité doit être régulière et requiert beaucoup d'endurance. Parmi toutes les méthodes possibles, nous avons choisi la marche.

Finalement il faut changer vos habitudes. Votre système de régulation ne fonctionne peut-être plus. Les chercheurs se répandent en conjectures sur le fait que les obèses ont si souvent besoin de stimulations extérieures par exemple, s'apercevoir qu'il est midi — plutôt qu'intérieures — sentir son estomac gargouiller pour manger.

Pour parvenir à maigrir, vous devez remplacer ces motivations par d'autres. Si le fait de passer devant une pâtisserie vous met suffisamment en transe pour vous conduire à acheter un éclair au chocolat, il vous faut absolument éviter de vous trouver dans cette situation et faire un détour plutôt que de passer devant la pâtisserie. Vous devez consciencieusement substituer, à vos anciennes et mauvaises habitudes, de nouvelles qui vous aideront. Mon médecin m'a donné quelques conseils pour changer mon comportement, puis j'en ai découvert moi-même. Vous les trouverez dans le chapitre suivant.

11.

MAINTENANT QUE VOUS ÊTES FIN PRÊT À CHOISIR VOUS-MÊME VOS MENUS

J'imagine que vous êtes nerveux. Vous vous sentez mieux en avalant quelque chose de consistant, mais vous devez apprendre à manger normalement et vous pouvez aussi bien commencer dès maintenant. Vous allez ainsi vous débrouiller pour construire votre propre régime et devenir beaucoup plus raisonnable. Vous aurez moins envie de vous rebeller si vous faites, vous-même, votre choix.

Le système de base qui suit a été mis au point par de nombreuses organisations pour la santé, telles que l'Association diététique américaine. Il est spécialement conçu pour être utilisé au long cours. Nous l'avons légèrement modifié pour le coordonner avec un programme d'exercice physique. Nous avons tiré profit des dernières nouveautés dans le domaine de l'obésité.

Vous allez manger des aliments normaux et non pas diététiques. Cela facilitera votre vie quotidienne et sociale. Cela peut aussi bien être réalisé chez vous qu'à l'extérieur à condition de vous organiser un peu à l'avance.

N'oubliez pas : tant que vous maigrissez, rajoutez des calories pour éviter que votre métabolisme ne se ralentisse.

EXEMPLE : RÉGIME A 1 200 CALORIES

Aliments	*Menu*	*Calories*
Petit déjeuner		
1 lait + 1 matière grasse	1 tasse de yaourt sans matière grasse	125
1 fruit	3/4 de tasse de fraises	40
1 féculent	3 biscottes	70
1 viande (graisse incluse)	60 g de gruyère	140
	café noir (non sucré)	0
		375
Déjeuner		
1 légume	laitue	0
1 viande	60 g de crevettes grillées	110
1 féculent	2 tranches de pain complet	140
1 corps gras	2 cuillerées à café de mayonnaise du commerce	45
1 fruit	2 prunes	40
		335
Dîner		
1 légume	1/2 tasse d'épinards	25
2 corps gras	2 cuillerées à café d'huile	90
libre	vinaigre	0
1 viande maigre	poulet grillé	110
1 féculent	150 g de pommes de terre cuites à la vapeur	140
1 fruit	1/2 pamplemousse	40
		405
Collation		
1 lait	1/2 tasse de lait écrémé	80
1 fruit	1/2 pêche	40
		120

Voici quelques conseils. Évidemment, il ne faut pas compléter votre ration par une glace chaque fois que vous pouvez augmenter de 200 calories. Pour vous aider voici les groupes d'aliments utilisés selon le nombre de calories du régime — souvenez-vous : si vous prenez un kilo ou deux, retournez à 400 calories.

Par exemple, pour 1 200 calories par jour, vous voyez que vous avez droit à du lait, un fruit, deux tranches de pain, deux morceaux de viande, un morceau de beurre au petit déjeuner et au déjeuner. Les plats sont faits à partir de la liste d'aliments qui suit. Dans cet exemple, j'énumère les calories et avec quelques astuces, vous verrez que cela n'est pas tellement compliqué.

En utilisant bien les groupes d'aliments indiqués, les calories, les protéines, les hydrates de carbone, les lipides et les sels minéraux, vous arriverez automatiquement à un régime bien équilibré.

Lorsque la liste d'aliments par groupe vous sera familière, vous saurez quels sont ceux ayant la même valeur nutritionnelle, mais les moins riches en graisses et dont on peut user en grandes quantités. Cette liste contient des aliments dont la teneur en protides, hydrates de carbone et lipides, ainsi que vitamines et sels minéraux est approximativement équivalente.

Si vous avez une sortie au restaurant, vous pouvez faire des échanges de plats selon les repas. Vous devez cependant garder comme règle le fait que vous prenez trois repas réguliers, plus une légère collation faite de laitage ou d'un fruit.

Demandez à votre médecin de vous prescrire des vitamines et prenez-les avec le repas qui contient le plus de graisses, car certaines vitamines ne sont absorbées qu'en présence de lipides.

Si vous vous trouvez fatigué ou mal dans votre peau, n'hésitez pas à consulter votre médecin.

TYPES D'ALIMENTS
SELON LE NOMBRE DE CALORIES
CONTENUES DANS LA RATION ALIMENTAIRE

	1 000 cal.	*1 200 cal.*	*1 400 cal.*	*1 600 cal.*	*1 800 cal.*	*2 000 cal.*
Petit déjeuner						
Lait	1	1	1	1	1	1
Fruit	1	1	1	1	1	1
Féculent	1	1	2	3	3	1
Viande *	2	2	2	2	2	2
Graisse	1	1	1	1	2	2
Déjeuner						
Légumes frais	**	**	**	**	**	**
Fruit	1	1	2	2	3	3
Féculent	2	2	2	2	3	3
Viande *	2	2	2	2	2	3
Graisse	1	1	2	2	2	3
Dîner						
Lait	0	0	0	0	0	1
Légumes	1	1	1	1	2	2
Fruit	1	1	2	2	2	2
Féculent	1	2	2	2	3	3
Viande *	2	2	2	3	3	3
Graisse	1	2	2	2	2	3
Déjeuner						
Lait	0	1	1	1	1	1
Fruit	1	1	1	1	1	1
Total						
Lait	1	2	2	2	2	3
Fruit	4	4	6	6	6	6
Féculent	4	5	6	7	9	9
Viande	6	6	6	8	8	8
Légumes	2	2	2	2	3	3
Graisse	3	4	4	5	6	8

* Utilisez la viande à faible teneur en graisse au moins deux fois sur trois, le groupe est en effet aussi bas en cholestérol qu'en calories.
** A volonté.

Les groupes d'aliments

Voici un de mes dadas : les listes d'aliments. Ces dernières devraient vous donner un coup de main jusqu'à ce que vous vous conduisiez comme un individu normal. Il est, bien sûr, impossible d'y inclure tout ce que vous pouvez manger, mais cela devrait vous permettre d'établir un choix tant que vous n'avez pas atteint le poids que vous vous êtes fixé.

Les sujets normaux n'ont pas besoin de tels aide-mémoire quand ils mangent et vous n'en aurez probablement plus jamais besoin aussi. J'espère qu'avec le temps, vous arriverez à vous passer d'instructions, car vous aurez acquis les principes de base du « bien-manger ».

Un dernier commentaire : ne soyez pas obsédé. Les tables de calories ne sont que des indications grossières. Ne vous inquiétez pas si vous remarquez une différence d'une table à l'autre. Je vous garantis que cela ne joue pas sur votre perte de poids.

Groupe des fruits

Les fruits contiennent de nombreux minéraux et vitamines. De plus, ils sont riches en fibres. Les agrumes possèdent le plus de vitamine C.

Il y a 10 grammes de glucides et 40 calories dans :

— 100 grammes de baies soit : 1/2 tasse de mûres ; 1/2 tasse d'airelles ; 1/2 tasse de framboises ; 3/4 de tasse de fraises.

— 100 grammes d'agrumes soit : 1/2 pamplemousse ; 1/2 orange ; 1 clémentine ; 1 mandarine.

— 15 grammes de fruits secs soit : 4 moitiés d'abricots ; 2 dattes de taille moyenne ; 1 figue de taille moyenne ; 2 moitiés de pêche ; 2 cuillerées à soupe de raisins.

— Les quantités de jus de fruits suivantes : pomme 1/3 de tasse ; cidre 1/3 de tasse ; raisin 1/4 de tasse ; pamplemousse 1/2 tasse ; abricot 1/3 de tasse ; orange 1/2 tasse ; ananas 1/3 de tasse.

— Les quantités de fruits suivantes : pomme 1/2 ; abricots 2 moyens ; banane 1/4 ; cerises une dizaine ; raisins une douzaine de grains ; kiwi un moyen ; mangue 1/2 ; brugnon 1/2 ; papaye 1/2 ; pêche 1/2 ; poire 1/2 ; ananas une tranche ; prunes deux moyennes ; grenade 1/2 ; coing 1/2.

Groupe des féculents ou hydrates de carbone

Chaque portion ci-dessous contient environ 15 grammes de glucides, 2 grammes de protides et 70 calories. Le pain et le riz complets, comme les lentilles ou les pois chiches, contiennent beaucoup de fer et de vitamine B. Ces produits sont aussi plus riches en fibres. De nombreux végétaux comportant de l'amidon possèdent des folates et du potassium.

— Les pains : biscottes : 2 et 1/2 ; baguette : 1/5 ; pain de mie : 1 tranche ; pain complet : 2 fines tranches.

— Les céréales : sèches (flocons) All Bran : 1/2 tasse ; Corn Flakes : 3/4 de tasse ; Rice Krispies : 3/4 de tasse.

— Les légumes : maïs : 1/3 de tasse ; petits pois : 1/2 tasse ; pomme de terre : une petite ; purée de pommes de terre : 1/2 tasse ; lentilles : 1/2 tasse ; pois chiches : 1/2 tasse ; haricots blancs : 1/2 tasse.

Groupe des viandes

Tous ces aliments constituent d'excellentes sources de protéines. Certains contiennent aussi beaucoup de fer, de zinc, de vitamine B12 et autres vitamines B. Essayez de limiter votre consommation de viande rouge, en augmentant volaille et poisson. Ces derniers renferment très peu de cholestérol. N'oubliez pas que les trois groupes suivants sont légèrement différents et qu'au moins deux portions sur trois par jour devraient provenir des viandes maigres du premier groupe.

— *Faible teneur en graisse*

Chaque portion ci-dessous contient 7 grammes de protéines, 3 grammes de lipides et 55 calories.

- Bœuf : paleron, faux-filet, rumsteak : 30 grammes.
- Fromage : blanc à 0 % de matière grasse : une demi-tasse, camembert, brie, chèvre : 20 grammes.
- Cuisses de grenouilles : 30 grammes.
- Agneau (tous les morceaux) : 30 grammes.
- Porc rôti : 30 grammes.
- Volaille : poulet, poule, faisan, dinde : 30 grammes.
- Lapin : 30 grammes.
- Veau (tous les morceaux) : 30 grammes.

— *Moyenne teneur en graisse*

Chaque portion ci-dessous contient 7 grammes de protides, 5 grammes de lipides et 75 calories environ.

- Bœuf : en conserve, filet, côte, langue : 30 grammes.
- Un œuf entier.
- Porc : bacon, jambon cuit ou cru, côtelettes, épaule fumée : 30 grammes.
- Fromage : blanc à 40 % de matière grasse : 50 grammes ; saint-paulin, hollande, cantal, gruyère : 20 grammes.

— *Haute teneur en graisse*

Chaque portion ci-dessous contient 7 grammes de protides, 8 grammes de lipides et 100 calories environ.

- Bœuf : poitrine, bourguignon : 30 grammes.
- Veau : poitrine, blanquette : 30 grammes.
- Fromage : roquefort, parmesan, gorgonzola, bleu d'Auvergne : 30 grammes.
- Volaille : canard, oie : 30 grammes.

• Porc : saucisson : 15 grammes ; pâté : 20 grammes ; chair à saucisse : 25 grammes.
• Agneau : collier : 30 grammes.

Groupe des légumes

Chaque portion ci-dessous contient 5 grammes de glucides, 2 grammes de protéines et 25 calories environ.

Les légumes verts sont d'excellentes sources de vitamine A. Prenez des légumes différents chaque jour pour absorber un maximum de vitamine C, de folates et de vitamine B6. Enfin sachez que tous les légumes sont riches en fibres.

— *A volonté* (vous pouvez en manger la quantité que vous souhaitez) : endives ; tous les types de laitue (scarole, romaine, batavia...) ; radis ; persil ; chicorée ; chou rouge.

— *Mesurer* (environ 50 grammes, soit une demi-tasse) : choux de Bruxelles ; artichaut (un moyen) ; asperges ; pousses de soja ; haricots verts ; brocolis ; choux ; choux-fleurs ; céleris ; navets ; concombres ; aubergines ; betterave ; cardes ; épinards ; champignons ; poireaux ; oignons ; choucroute ; tomates ; jus de légumes ; jus de tomate.

Groupe des laitages

Chaque portion ci-dessous contient 12 grammes de glucides, 8 grammes de protides, quelques traces de lipides et 80 calories environ.

Les produits laitiers sont riches en calcium, phosphore, certaines vitamines B, vitamines A et D et magnésium.

— Sans graisse : lait écrémé liquide — une tasse ; lait écrémé concentré non sucré — une demi-tasse ; lait écrémé en poudre non reconstitué — un tiers de tasse ; yaourt nature à 0 % de matière grasse — une tasse.

— *Faible teneur en graisse :* lait demi-écrémé — une

tasse ; fromage blanc à 10 % de matière grasse — une tasse.

— Teneur normale en graisse : lait entier — une tasse ; lait entier concentré non sucré — une tasse ; lait entier en poudre non reconstitué — un tiers de tasse ; yaourt nature au lait entier — une tasse.

Groupe des graisses

Chaque portion ci-dessous contient 5 grammes de lipides et 45 calories environ.

Étant donné que ces produits sont très caloriques, on doit les mesurer avec attention. Essayez d'utiliser des graisses d'origine végétale plutôt que d'origine animale, car les premières présentent moins de graisses saturées et plus de graisses insaturées (explication dans la troisième partie du livre) :

avocat : un quart, taille moyenne ; bacon : une rondelle ; beurre : 5 grammes ; margarine : 5 grammes ; beurre de régime : 10 grammes ; crème fraîche : 15 grammes ; crème glacée : 20 grammes ; mayonnaise fraîche : 5 grammes ; mayonnaise en tube : 10 grammes ; cacao sec en poudre : 10 grammes ; chocolat au lait ou à croquer : 15 grammes ; caramel : 10 grammes ; nougat : 10 grammes ; fruits oléagineux (noix, amandes...) : 5 grammes ; huile (olive, arachide...) : 5 grammes.

Divers

Ce sont des produits dont on peut user à volonté car ils ne contiennent pas ou pratiquement pas de calories :

sucre édulcorant ; bouillon dégraissé peu salé ; café ; gélatine (non sucrée, non parfumée) ; chewing-gum non sucré ; fines herbes ; raifort ; citron ; tilleul et autres infusions ; moutarde (à petites doses) ; épices ; thé ; vinaigre ; sel blanc raffiné ; huile de paraffine.

L'alcool

Comptez l'alcool comme une graisse. On peut évaluer le nombre de calories contenues grâce à une règle :
0,8 × degré × quantité = calories.

Chaque ration de 45 calories équivaut à une portion de graisse. On peut boire du vin rouge ou de la bière légère à condition d'en noter la quantité. En revanche, il faut proscrire les liqueurs et les cocktails qui contiennent beaucoup de glucides.

Quatorze jours de menus à 1 000 calories

Premier jour

Petit déjeuner

3/4 de tasse de céréales sans sucre	70
1/2 tasse de lait écrémé	45
1/2 pomme	40
	155

Déjeuner

Un sandwich fait avec :	
2 tranches de pain de mie	150
50 g de conserve de thon au naturel.	90
10 g de mayonnaise en tube	40
1/2 tomate	15
1 feuille de laitue	0
1/2 pamplemousse	50
	345

Dîner

150 g d'aloyau maigre grillé	300
avec 10 g de beurre de régime	40
60 g de champignons cuits	15
1 yaourt nature	60
	415

Collation

1 pomme 80
Total 995

Une brève table des calories est située à la fin de ce livre. Les chiffres ont été arrondis au plus exact. On ne trouve pas exactement le compte de 1 000 calories par jour. Il est parfois au-dessus, parfois au-dessous.

Conseils utiles pour le premier jour

Coupez en tranches la moitié de banane restant de votre petit déjeuner, enveloppez-la dans un sac hermétique et mettez-la au congélateur ; le lendemain soir, mélangez-la à un yaourt à la vanille et à des framboises pour faire un dessert glacé agréable.

Si vous devez utiliser un reste de conserve de thon à l'huile, rincez-le bien sous l'eau froide et séchez-le avec des serviettes en papier avant de le manger.

Champignons dans une sauce dégraissée : lavez-les juste avant à l'eau fraîche et égouttez-les sur une serviette de papier humide. Mettez-les dans une poêle avec de l'eau en quantité suffisante pour les couvrir à moitié, ajoutez du paprika et du poivre, faites mijoter jusqu'à ce qu'ils deviennent tendres.

Mes commentaires sur le premier jour

Utilisez de la mayonnaise du commerce.

Au début, les portions vont vous sembler petites. Cela m'a fait le même effet. Je ne fais jamais rien à demi. Soyez sûr que dès que l'assiette est pleine, vous serez étonné : il y en a beaucoup !

Je me suis sentie rassasiée avec 1 000 calories parce que je n'avais pas l'habitude du petit déjeuner ; je prenais un déjeuner léger et puis un dîner vers 19 heures.

A quand remonte la dernière fois où vous avez pris trois repas par jour ?

Si vous avez vraiment faim, buvez quelques verres

d'eau et allez vous promener. Votre faim disparaîtra rapidement.

Enfin, démarrez bien. Et surtout ne vous arrêtez pas en route.

Deuxième jour

Petit déjeuner

1 œuf à la coque	76
1 tranche de pain de mie	76
	152

Déjeuner

1 yaourt nature	60
1/2 concombre coupé en dés	10
1 tomate moyenne	30
1 tige de céleri coupée	10
1 tranche de pain de mie	76
10 g de camembert	30
1 pêche moyenne	40
	256

Dîner

100 g de poulet	147
150 g d'épinards bouillis	45
avec 10 g de beurre de régime	40
1 cuillerée à café de parmesan	10
100 g de riz cuit	115
un peu de persil	0
1 pomme	88
	437

Collation

1 banane	140
Total	985

Conseils utiles pour le deuxième jour

Utilisez du beurre de régime type « taille fine ».

Les meilleurs melons ne doivent pas avoir de taches vertes. Un melon mûr a bonne odeur et doit s'enfoncer à la légère pression du doigt à l'extrémité opposée de la queue.

Cuire la quantité de poulet du jour plus 120 grammes pour l'utiliser au déjeuner du lendemain et le quatrième jour.

N'achetez pas de poulet avec des taches brunes : il a séjourné trop longtemps au réfrégirateur ou a été mal emballé.

Gardez le persil frais en le gardant bien serré dans un vase.

Ajoutez de la saccharine dans votre yaourt si vous en voulez. Essayez différentes marques, car les yaourts diffèrent en consistance et en aigreur ; mais vérifiez le nombre de calories.

Troisième jour

Petit déjeuner

3/4 de tasse de céréales non sucrées	70
1/2 tasse de lait écrémé	45
	115

Déjeuner

Salade composée :

60 g de poulet coupé en tranches	100
1 pomme coupée en tranches	80
1 tige de céleri coupé en morceaux ..	10
10 g de mayonnaise de régime	40
1/4 de concombre	5
1 tranche de pain de mie	76
	311

Dîner

200 g de sole ou de cabillaud grillés ou à la vapeur avec un soupçon de citron.	140

1/2 tomate grillée avec 1 cuillerée à café de parmesan	25
avec 10 g de beurre de régime	40
100 g de haricots verts bouillis	30
1/2 tasse de fraises mélangées avec	25
1/2 banane	70
	425

Collation

1 pomme	80
10 g de gruyère	40
	120
Total	971

Conseils utiles pour le troisième jour

Gardez votre laitue au frais en la serrant dans des serviettes en papier qui absorbent la moisissure.

Les fraises peuvent être bien conservées plusieurs jours dans un égouttoir au réfrigérateur qui permet à l'air frais de circuler. Ne les épluchez pas avant de les laver sinon elles absorberont trop d'eau et perdront leur goût.

Cuire un poisson parfaitement est chose facile si vous observez la règle des dix minutes, quel que soit le mode de cuisson. Un morceau d'une livre nécessite dix minutes. Ajoutez deux minutes supplémentaires pour chaque quart de livre supplémentaire et retranchez deux minutes pour chaque quart de livre en moins.

Coupez les tomates verticalement pour que les tranches restent fermes à la cuisson.

Quatrième jour

Petit déjeuner

3/4 de tasse de céréales non sucrées	70
1/2 tasse de lait écrémé	45
	115

Déjeuner

Sandwich composé de :

1 tranche de pain de mie	76
50 g de conserve de thon au naturel	90
10 g de mayonnaise de régime	40
10 g de gruyère râpé • Saupoudrer le sandwich de gruyère et mettez-le brièvement sur le gril ou au four (à micro-ondes)	40
1 pomme moyenne	80
	326

Dîner

240 g de crevettes décortiquées	200
sautées avec 1 cuillerée à café d'huile végétale	50
Salade composée de :	
1/2 cœur de laitue	0
1/2 carotte râpée	10
1/2 tomate	15
10 g de camembert	30
1 tranche de pain de mie	76
	381

Collation

1 yaourt nature	60
1 banane	140
	200
Total	1 022

Conseils utiles pour le quatrième jour

Le thon en miettes est moins cher que le thon entier mais aussi nutritif.

Après avoir épluché les crevettes, mettez-les dans un bol et lavez-les doucement sous l'eau froide environ trente secondes. Puis rincez-les dans un égouttoir pendant environ trois minutes. Elles seront croustillantes à souhait à la cuisson.

Enlevez les queues des carottes avant de les ranger dans le réfrigérateur pour éviter qu'elles ne moisissent.

Attention aux asperges, haricots verts, maïs et épinards qui sont très fragiles et doivent être rapidement mis au frais.

Cinquième jour

Petit déjeuner

1 tranche de pain de mie	76
1 œuf brouillé sans matière grasse	76
1/2 tasse de lait écrémé	45
	197

Déjeuner

Une salade composée de :	
10 g de mayonnaise de régime	40
60 g de poulet en tranches sans la peau	100
1 feuille de laitue	0
1 pomme moyenne	80
	220

Dîner

180 g de coquilles Saint-Jacques grillées avec du citron et du paprika	190
100 g de nouilles cuites aux œufs	100
1 cuillerée à café de beurre ou de margarine	40
1 pomme	80
	410

Collation

1 tranche de pain de mie beurrée	100
1 yaourt nature	60
	160
Total	987

Conseils utiles pour le cinquième jour

Les plus grosses pommes ont plus de 80 calories, les fruits de petite ou moyenne taille ont en général plus de goût.

Les pommes doivent être lisses, fermes au toucher et sans taches. Évitez les pommes rouges qui sont souvent peu mûres ainsi que les golden. Ces fruits sont souvent farineux.

Pour obtenir des œufs brouillés parfaits, démarrez avec une casserole froide et sans graisse et cuisez à feu doux.

Sixième jour

Petit déjeuner

3/4 de tasse de céréales non sucrées	70
avec 1 pomme moyenne râpée	80
et de la cannelle	0
1/2 tasse de lait écrémé	45
	195

Déjeuner

Salade composée de :	
1/2 cœur de laitue	0
1/2 poivron vert coupé en morceaux	10
1/2 carotte	10
60 g de champignons	15
1/2 tomate	15
1/4 de concombre	5
1 œuf dur	75
10 g de mayonnaise de régime	40
1 banane moyenne	140
	310

Dîner

150 g de côtes de porc grillées	300
100 g de pommes de terre bouillies	84
avec une cuillerée à café de beurre	40

100 g de haricots verts cuits à la vapeur avec un soupçon de citron 30
454

Collation

1 orange 75
Total 1 034

Conseils utiles pour le sixième jour

Conservez les pommes à part car elles dégagent un gaz qui peut rendre les carottes amères.

Il est plus difficile de faire des œufs durs que vous ne le croyez. Mettez-les dans une casserole, recouvrez-les d'eau froide et versez du vinaigre ou du sel. Le vinaigre empêche les œufs d'éclater pendant la cuisson. Amenez à ébullition puis retirez du feu. Laissez-les couverts dans la casserole pendant vingt minutes. Égouttez. Secouez-les. Passez sous l'eau froide et pelez-les.

Une peau rugueuse peut signifier qu'une orange est sèche, alors choisissez-en avec une peau lisse et fine.

Septième jour

Petit déjeuner

100 g de lait demi-écrémé 52
2 tranches de pain de mie 152
100 g de gruyère 40
1 pamplemousse 100
344

Dîner

150 g de poulet rôti 220
1/2 tasse de riz cuit 80
1 noix de beurre 70
60 g de champignons crus 15
2 carottes cuites 40
1 orange moyenne 80
505

Collation

1 yaourt nature	60
1 banane	90
1/2 tasse de fraises	25
	175
Total	1 024

Conseils utiles pour le septième jour

Pour ne pas gâcher le concentré de jus d'orange inutilisé, décongelez-en seulement une partie en faisant couler de l'eau autour de la boîte. Recouvrez ensuite celle-ci de façon hermétique et remettez-la dans le congélateur.

Les champignons ne deviendront pas visqueux si vous les emballez dans un sac en papier brun. Le papier leur permet de « respirer » tout en préservant une certaine humidité qui les tient au frais.

Ou encore vous pouvez mettre en réserve dans le congélateur les champignons déjà coupés en tranches.

Huitième jour

Petit déjeuner

1 tranche de pain de mie beurrée	100
1 œuf brouillé	76
1/2 pamplemousse	50
	126

Déjeuner

1 sandwich composé de :	
2 tranches de pain de mie	152
2 feuilles de laitue	0
1/2 tranche de jambon	75
équivalent de 1 cuillerée à café de beurre ou mayonnaise	35
	262

Dîner

150 g de beefsteack 300
60 g de champignons cuits 15
100 g de nouilles cuites 100
10 g de beurre 76
1 pêche moyenne 40
531

Collation

1 yaourt nature 60
1 tranche d'ananas frais 40
100

Total 1 019

Conseils utiles pour le huitième jour

Pour garder l'autre moitié de pamplemousse fraîche, mettez-la du côté découpé dans une soucoupe et au réfrigérateur.

Achetez un pamplemousse à la fois lourd (dans la main) et à la peau fine. Les roses sont jolis mais coûtent souvent plus chers que les jaunes.

Mettez le reste de la tranche de jambon dans du papier d'aluminium au réfrigérateur.

Neuvième jour

Petit déjeuner

250 cc de lait demi-écrémé 130
1 pomme 80
210

Déjeuner

1 escalope de veau (100 g) grillée 180
150 g de carottes cuites 69
1 tomate crue (salée) 15
1 orange 75
339

Dîner

150 g de sole ou de cabillaud à la vapeur.	110
100 g de pommes de terre cuites à la vapeur	84
Salade composée de :	
1 cœur de laitue	0
60 g de champignons crus	15
1/2 tomate	15
10 g de gruyère	40
1 tranche de pain de mie	76
	340

Collation

1 banane	140
Total	1 029

Conseils utiles pour le neuvième jour

Lorsque vous achetez des carottes, prenez-les sans feuilles. En effet, elles pourrissent à travers ce joli petit feuillage.

De même n'oubliez pas que ces légumes sont généralement plus doux quand ils sont minces. Les grosses carottes, plus vieilles, vont mieux dans les ragoûts et les soupes.

N'achetez pas de fruits (cerises ou prunes par exemple) si vous voyez des petits moucherons tourner autour. Cela signifie qu'ils sont trop mûrs. Ne les achetez pas non plus trop verts. Les pêches ne mûriront pas chez vous.

Dixième jour

Petit déjeuner

1 tranche de pain de mie	76
1 yaourt nature	60
1 orange	75
	211

Déjeuner

Salade composée de :

laitue (à volonté)	0
50 g de crabe (conserve au naturel)	50
1 œuf dur	76
1 branche de céleri	10
100 g de carottes râpées	44
1 pomme	80
	260

Dîner

1 morceau de poulet de 150 g	220
100 g de pommes de terres cuites à la vapeur	84
1 tranche de pain de mie	76
150 g de gruyère	60
	440

Collation

1 yaourt nature	60
1 pêche	40
	100
Total	1 011

Conseils utiles pour le dixième jour

Pour peler facilement votre pêche, plongez-la dans l'eau bouillante quelques secondes puis passez-la sous l'eau froide (pour l'empêcher de cuire). La peau s'enlèvera très facilement.

Faites cuire un poulet entier, vous en utiliserez à nouveau le onzième jour pour le petit déjeuner.

En cuisant vous-même votre poulet, vous n'économisez pas seulement des calories mais aussi de l'argent.

Onzième jour

Petit déjeuner

1 œuf à la coque	76

1/2 tasse de lait écrémé	45
1/2 tranche de pain de mie	38
	159

Déjeuner

1 sandwich composé de :	
2 tranches de pain de mie	152
60 g de poulet découpé en tranches .	88
1/2 tomate crue	15
1 feuille de laitue	0
100 g de mayonnaise de commerce .	40
1 pomme	80
	375

Dîner

150 g de beefsteack	285
150 g de carottes cuites	70
10 g de beurre de régime	40
1/2 pamplemousse	50
	445

Collation

1 yaourt nature	60
Total	1 039

Conseils utiles pour le onzième jour

Achetez des tomates avec la queue. Cela les empêche de pourrir.

Pour l'œuf à la coque, comptez 3 minutes et demie dans l'eau bouillante.

Douzième jour

Petit déjeuner

1 tranche de pain de mie	100
150 g de fromage blanc à 0 % de matière grasse	87

1 pomme	80
	267

Déjeuner

150 g de sole meunière	115
100 g de riz cuit	40
10 g de beurre de régime	40
1 tranche d'ananas frais	40
	235

Dîner

2 côtelettes d'agneau	280
150 g de haricots verts bouillis	45
10 g de beurre de régime	10
1 tranche de pain de mie	76
10 g de gruyère râpé	40
	451

Collation

1 orange	75
Total	1 028

Conseils utiles pour le douzième jour

Vous pouvez prendre du fromage blanc à 10 % de matière grasse à la place de 0 % mais seulement 100 grammes.

Si vous avez fait un écart de régime (bonbon, pâtisserie), rattrapez-vous en supprimant la collation et le pain de mie du dîner.

Treizième jour

Petit déjeuner

1 tranche de pain de mie beurrée	100
1 pomme	80
10 g de gruyère	40
	220

Déjeuner

1 salade composée de :	
laitue à volonté	0
1/2 tomate crue	15
20 g de thon à l'huile	90
50 g de riz cuit	57
1 tranche de pain de mie	45
15 g de camembert	76
1 banane	135
	418

Dîner

150 g de cabillaud bouilli	105
150 g de carottes cuites	70
10 g de beurre de régime	40
1 yaourt	60
	275

Collation

1 pomme	80
10 g de gruyère	40
	120
Total	1 033

Quatorzième jour

(Un exemple de menu en sautant le déjeuner)

1 omelette avec :	
1 œuf entier et un blanc d'œuf	90
10 g de gruyère	40
1/2 poivron	10
60 g de champignons crus	15
1 tranche de pain de mie beurrée	100
1/2 pamplemousse	40
	305

Dîner

150 g de côtes de porc grillées	300
1 tasse d'épinards à la vapeur	40
avec 10 g de beurre de régime	40
1 soupçon de citron	0
100 g de nouilles aux œufs	100
avec de la ciboulette	0
1/2 melon	70
1 yaourt nature	60
	610

Collation

1 pomme de taille moyenne	80
Total	995

12.

LE FOOTING, UN SPORT A LA PORTÉE DE TOUS

Vous êtes probablement un peu sceptique quant à cette histoire de « footing ». Vous avez déjà fait un régime, et je suis certaine que le mien vous tente. Mais la marche à pied ? Je parie que, au fond de vous-même, vous n'y croyez pas. Pourtant, il a été scientifiquement démontré que les femmes en surpoids qui ne changeaient rien à leurs habitudes alimentaires mais qui marchaient au moins trente minutes par jour, perdaient en moyenne dix kilos par an.

Peut-être avez-vous vraiment besoin de maigrir en des points précis du corps. Sans vouloir vous décourager, c'est impossible. Une étude de l'université du Massachusetts a montré que vingt et un sujets ayant participé à un programme de gymnastique rigoureux perdirent une petite quantité de graisse non seulement à la taille mais aussi au niveau du dos et des fesses. L'exercice physique ne permet donc pas de maigrir en un point précis du corps.

Les femmes prennent du poids selon un mode bien déterminé : d'abord derrière les cuisses, puis à l'intérieur, ensuite et dans l'ordre viennent les hanches, le ventre, enfin la partie supérieure du corps (par exemple les bras). La graisse disparaît dans l'ordre inverse et quel que soit le type de sport pratiqué.

Quand on fait travailler un seul muscle, on obtient pour seul résultat de le développer davantage tandis que le tissu adipeux persiste. Il n'y a que l'aérobic [1] qui fait fondre la graisse de chaque région du corps quasi uniformément, pour vous aider à changer vos formes.

Mais vous trouvez peut-être que vous marchez déjà beaucoup. Une de mes amies, bien en chair, qui habite Los Angeles, se disait une grande marcheuse. Un jour, elle vint se promener avec moi — j'avais déjà un entraînement de quatre mois — et je pris mon pas habituel, peut-être même un peu plus lent. Nous nous séparâmes après notre balade. Lorsque je lui téléphonai plus tard pour confirmer nos plans pour le dîner, elle se décommanda. Elle avait dû se coucher, tellement elle était épuisée !

Laissez-moi ajouter quelque chose. Quand on marche réellement beaucoup, on ne doit, en principe, avoir aucun problème de poids. Si vous êtes trop grosse, c'est parce que vous « pensez » seulement faire beaucoup de footing.

Pourquoi la marche à pied et pas le lancer du poids ? Il y a deux sortes d'exercices. Le premier, comme l'haltérophilie, la course à pied, le golf, même la gymnastique, est un sport où l'on marque des pauses. Le second, comme le jogging, la danse et la marche est continue. Ce type d'exercice utilise de l'oxygène. Pendant qu'on le pratique, le cœur bat plus fort, les poumons se remplissent au maximum, les vaisseaux sanguins se dilatent pour amener la plus grande quantité de sang oxygéné aux cellules. C'est ainsi que les graisses sont mieux brûlées. Les sports « aérobiques » les plus populaires sont : la natation, la bicyclette, la corde à sauter, la danse, le jogging et le footing.

Que dire à vos amis qui vous conseillent le jogging ? Il est

---

1. Il faut pratiquer cette gymnastique avec beaucoup de prudence.

plus rare de se passionner pour d'autres types d'exercices qui apportent autant que la marche à pied.

Prenez l'exemple de la nage : il faut se changer et passer un maillot de bain, puis inversement. Cela prend du temps. En plus, on a les cheveux mouillés et il faut avoir les cheveux très courts ou se retrouver au bureau avec l'air de sortir tout juste d'un sauna. Pour ma part, je ne suis ni assez blonde ni assez nordique pour ça.

Sauter à la corde ne m'intéresse pas non plus. J'ai essayé de faire du vélo, mais dès qu'il neige, hors de question de continuer. En outre, quand on est sur une bicyclette, on la traîne partout : comment fait-on quand on a envie de se mettre à marcher ? J'en ai essayé une conçue pour la ville, mais j'ai la même impression que quand je subis une anesthésie chez le dentiste : le temps s'écoule lentement.

C'est agréable de faire de la danse mais je trouve que, pour des gens qui ne sont pas en forme, c'est aller un peu loin. En vérité, on n'a pas tellement envie de faire des bonds de tigresse quand on se sent plutôt comme une loque.

Enfin, le jogging ! Comme je l'ai raconté, j'ai essayé, mais je n'aime pas. Et pour cause ! Le spectacle de grosses femmes en train de courir est absolument inesthétique. En plus, je ne pense pas que ce soit là une activité naturelle pour l'être humain. Les animaux le font, mais ils se déplacent à quatre pattes.

D'ailleurs, certains scientifiques entraînent un grand nombre de bêtes à l'exercice. Un groupe de singes « joggeurs » a servi à la recherche sur le rôle du jogging et le maintien des artères en bon état. Il y a même eu des porcs du Yucatán, qui faisaient une cinquantaine de kilomètres par semaine autour d'un laboratoire de San Diego, pour démontrer que l'entraînement physique peut être bénéfique, même quand on a les artères bouchées ! Je préfère leur laisser cet exercice, ils le pratiquent trop bien !

Le jogging peut entraîner des problèmes de santé : atteintes osseuses, entorses, déplacements divers, déformations du pied... et même des troubles oculaires, comme des décollements de la rétine ou des histoires d'équilibre labyrinthique (au niveau de l'oreille). Les ligaments et les tendons perdent de leur laxité, d'où des risques de fractures, de déchirures articulaires et de claquages musculaires. On peut ainsi devenir un modèle parfait sur le plan cardio-vasculaire, mais se traîner avec des béquilles !

Une pierre de plus à jeter dans le jardin des « joggeurs » : quand on court sans soutien-gorge, la poitrine est particulièrement malmenée.

Marcher sur trois kilomètres prend plus de temps que faire du jogging sur cette même distance, mais on brûle un nombre égal de calories. Le footing vous donnera une silhouette de rêve. Pour bien des raisons, c'est le meilleur exercice.

1. C'est facile. J'ai bien lu des livres qui contenaient des instructions pour la marche, mais presque tout le monde la connaît dès l'âge de quinze mois.

2. C'est peu coûteux, surtout quand on va à une allure trop rapide pour faire du lèche-vitrines.

3. On ne peut pas se faire mal. Cela peut arriver, mais il suffit de regarder où l'on met les pieds.

4. On peut se camoufler. Quand je faisais du sport, les individus normaux pensaient probablement de moi : « Elle essaie au moins de faire quelque chose », mais en fait, ils devaient me trouver comique. Pourtant, une personne difforme n'aime pas attirer l'attention. On peut toujours se fondre et disparaître dans la foule quand on marche.

5. C'est efficace. On se déplace tout en s'entraînant. Pensez à la quantité d'essence économisée ! J'ai même envisagé de jeter les clefs de ma voiture.

6. Pas besoin de se changer après une bonne marche ! Pas besoin d'une douche ! On reste tout à fait présentable.

La technique

La fréquence

Au moins cinq fois par semaine. En 1980, on a démontré dans une étude que faire de l'exercice quatre à cinq fois par semaine est trois fois plus efficace que trois fois par semaine. Quant à une ou deux fois par semaine, c'est pratiquement inutile.

Ne faites jamais deux jours de suite le même circuit.

Le moment idéal

Avant un repas ou une heure après. Certaines données sembleraient indiquer qu'on emmagasine plus de graisse pendant la nuit. Faire sa gymnastique à ce moment-là pourrait donc être efficace (mais guère pratique). On peut compléter après le repas l'exercice fait avant par une marche modérée. On utilisera aussi au mieux la thermogenèse induite par le régime (et cela même une heure après le repas).

La durée

Commencer par vingt minutes pour en atteindre soixante. Démarrez lentement les deux premières semaines : d'abord vingt minutes par jour, puis trente. Attention, ce n'est pas vraiment un amusement. Il ne faut pas commencer par de l'aérobic car cela nécessiterait au moins trente minutes sans compter le temps de l'échauffement. Marcher consiste simplement à vous faire sortir de chez vous.

N'oubliez pas : ce n'est pas une punition. Le footing deviendra à la fois un acte routinier, comme celui de se laver les dents, et un plaisir. C'est un moment de la journée que vous vous mettrez à apprécier.

Ne forcez pas les premiers jours. Ne croyez pas que vous pouvez en faire plus, sinon vous vous retrouverez vite couché, bien au chaud, pour récupérer. Vous aurez complètement oublié le seul intérêt de la marche à pied : la régularité.

Le docteur J.H. m'a conseillé d'inclure dix minutes d'échauffement et dix minutes de refroidissement dans mon heure de marche. A la fin de cette partie — p. 141 —, vous trouverez quelques exercices de mise en route. Quand vous vous arrêtez, vous n'avez qu'à ralentir peu à peu votre pas. Quand on marche à vitesse maximale, on met en jeu le muscle cardiaque pour pomper le sang en provenance des membres. Si on stoppe trop brusquement, on risque d'avoir des crampes.

Il faut marcher au moins trente minutes pour être sûr que les graisses sont brûlées. L'organisme puise son énergie dans les hydrates de carbone d'abord et ensuite dans les réserves de tissu adipeux.

La vitesse

Jusqu'à ce que vous ayez atteint 70 % de la fréquence cardiaque maximale. Ne vous inquiétez pas, ce paragraphe n'est pas si aride qu'il y paraît. Moi non plus, je ne me sens pas particulièrement attirée par les chiffres. Ils sont toujours associés à des choses désagréables : le nombre de kilos, le nombre de centimètres du tour de taille, le nombre de calories contenues dans un plat... Mais il faut absolument en noter quelques-uns.

Le docteur J.H. a souligné que lorsqu'il parlait de footing, il voulait simplement qu'on bouge. Il ne s'agit pas de faire du lèche-vitrines, mais d'imaginer que vous avez Frankenstein aux trousses ; et il faut toujours se donner un but.

La meilleure façon d'évaluer ce qu'on fait est de prendre son pouls.

Au poignet : pressez, appuyez les deux doigts de votre main droite ; si vous êtes droitier, sur l'avant-bras opposé, un petit peu au-dessus de la face antérieure du poignet. Suffisamment fort pour sentir le flux sanguin mais pas trop pour ne pas l'arrêter. Comptez, montre en main.

Au niveau du cou : c'est peut-être plus facile. Mettez les trois premiers doigts de la main juste en dessous de l'angle de la mâchoire. Étirez votre cou et descendez avec vos doigts lentement jusqu'à ce que vous sentiez les battements. N'appuyez pas. Vous devez sentir le flux mais ne pas le bloquer. Si vous pressez trop fort, vous risquez d'aplatir le vaisseau.

En principe le pouls moyen parfait tourne autour de 72 battements par minute. Celui de la plupart des gens se situe entre 60 et 80 battements par minute. Un sujet en bonne condition physique peut avoir une fréquence d'environ 60 battements par minute, voire inférieure.

L'effort physique peut se mesurer par la rapidité du pouls. Le chiffre que vous devez essayer d'atteindre est calculé d'après votre fréquence cardiaque maximale.

Pour déterminer cette dernière, soustrayez votre âge au nombre 220. Si vous avez quarante ans, votre pouls maximal est de 180 par minute (220 — 40 = 180). Il faut, bien sûr, ne pas aller jusque-là. Actuellement, je suis sûre que cela vous est, de toute façon, impossible. Et quand même vous le pourriez, vous ne tiendriez pas longtemps. Les athlètes en excellente forme vont jusqu'à 85 %, vous pouvez donc essayer d'atteindre 70 %.

Avec une fréquence maximale de 180 à l'entraînement, vous devez parvenir à 126 battements (180 × 70 = 126).

Il est plus simple de calculer sur dix secondes (par exemple pour 126, c'est 21 puisque 21 × 6 = 126). En effet, quand on marche, il vaut mieux s'arrêter seulement dix secondes. J'espère qu'avec la mise au point qui suit, vous aurez tout bien en tête.

Après les cinq à dix premières minutes d'échauffement, on doit se trouver environ à 50 % de son pouls maximal. Plus la forme physique est basse, plus vite on atteint ce chiffre.

Ne soyez pas non plus tenté de vérifier trop souvent.

Programmez une heure de marche, mais au début faites-en un minimum de trente minutes dont dix d'échauffement et dix pour vous refroidir.

La distance

Environ 5 à 7 kilomètres à l'heure

Vous faites de la marche principalement pour fabriquer à nouveau du muscle squelettique et augmenter votre thermogenèse mais aussi pour brûler des calories. Pour évaluer tout cela, la distance parcourue est un des meilleurs critères.

Le nombre de calories est seulement une estimation parce qu'il est influencé par plusieurs facteurs comprenant le poids, l'âge, le sexe, l'état général et les variations génétiques de chaque sujet.

Les scientifiques utilisent la quantité d'oxygène consommée pour connaître la dépense calorique, soit 1 litre d'oxygène pour 4,82 calories par minute. Un individu de 50 kilos consommant 0,33 litre d'oxygène en une minute de travaux ménagers brûle donc un tiers de 4,8 calories, soit 1,6 calorie par minute.

Plus on respire profondément et fréquemment, plus on utilise d'oxygène ; plus on utilise d'oxygène, plus on brûle de calories.

Voici un petit guide pour vous montrer combien de

calories on brûle en une heure. Multipliez votre poids par le chiffre correspondant :

Pour 4 kilomètres à l'heure votre poids × 2,60
Pour 4,5 kilomètres à l'heure votre poids × 2,12
Pour 5 kilomètres à l'heure votre poids × 2,60
Pour 5,5 kilomètres à l'heure votre poids × 4,10
Pour 6 kilomètres à l'heure votre poids × 4,70
Pour 6,5 kilomètres à l'heure votre poids × 6,20
Pour 7 kilomètres à l'heure votre poids × 7,70

En d'autres termes, si vous pesez 100 kilos, et que vous faites 4 kilomètres à l'heure, vous brûlez 260 calories (2,60 × 100).

La vitesse est en partie liée à la longueur des jambes. Un sujet avec des jambes courtes pourra trouver un pas de 5 kilomètres à l'heure modéré et de 6 kilomètres à l'heure trop rapide, tandis qu'un sujet plus grand peut accéder à 7 kilomètres à l'heure avec facilité.

Maintenant que vous savez tout, vous pouvez vous appliquer.

Exercices d'entraînement

Je vous en suggère quelques-uns, mais il existe de nombreuses variantes tout aussi valables.

Suivez ces conseils :

Dérouillage

1 — Mettez-vous debout, vos pieds écartés d'environ quarante centimètres. Inspirez et expirez profondément. Faites ça, en tout, dix fois.

2 — Restez debout, les bras en l'air. Faites des moulinets dix fois en avant et dix fois en arrière. Répétez cet exercice.

3 — Encore debout. Fermez les yeux, relaxez bien votre mâchoire, avancez votre tête et faites-lui faire un mouvement de rotation dix fois dans le sens des aiguilles d'une montre, puis dix fois dans le sens inverse.

4 — Toujours debout. Roulez les épaules dix fois en avant, puis dix fois en arrière.

Extension

1 — Les orteils. Asseyez-vous par terre, les jambes allongées devant vous. Gardez les talons au sol. Tirez sur vos orteils le plus possible vers l'avant et restez comme ça en comptant jusqu'à dix. Puis tirez vos orteils vers vous en comptant encore jusqu'à dix. Faites-le quinze fois par pied.

2 — Les chevilles. Toujours en position assise, les jambes étendues devant vous. Soulevez votre pied et faites tourner la cheville en faisant de grands cercles dix fois dans une direction, puis dix fois dans l'autre sens. Faites la même chose pour l'autre pied.

3 — Les pieds. Asseyez-vous, les jambes croisées en tailleur, le pied gauche sur la cuisse droite. Attrapez ce pied à deux mains, la plante dans la main gauche, le dos dans la main droite. Ne bougez ni la jambe ni le genou, faites simplement fléchir la cheville. Puis amenez votre pied de façon à ce que la plante soit bien en l'air et que vous ressentiez comme un étirement. Comptez jusqu'à dix. Recommencez avec l'autre pied.

4 — Les mollets. Debout, à distance d'un bras du mur. Mettez une jambe en arrière sans plier le genou. Fléchissez légèrement le genou de la jambe qui est en avant. Gardant les talons au sol, penchez-vous contre le mur jusqu'à ce que vous ressentiez un tiraillement. Comptez jusqu'à quinze. Recommencez avec l'autre jambe. Faites cela huit fois avec chaque jambe.

5 — La face antérieure de la cuisse. Debout. Attrapez

votre talon droit avec votre main droite et tirez dessus doucement. Si vous y arrivez, allez jusqu'à toucher votre hanche. Comptez jusqu'à dix. Recommencez avec l'autre jambe. Cinq fois par jambe.

6 — La face postérieure de la cuisse. Mettez votre pied gauche sur une table d'environ un mètre de haut. Penchez-vous par-dessus et attrapez vos orteils à deux mains. Gardez les jambes et le dos droits. Vous devez sentir un étirement derrière vos cuisses et dans le bas du dos. Comptez jusqu'à dix. Recommencez avec l'autre jambe. Dix fois par jambe.

7 — Le corps entier. Écartez vos pieds de soixante centimètres environ et penchez-vous en avant, en étirant le bas du dos. Attrapez votre cheville droite à deux mains et amenez votre visage au niveau du genou. Comptez jusqu'à dix. Recommencez avec l'autre jambe. Cinq fois par jambe.

La météo

La pluie

Au réveil, vous jetez un coup d'œil par la fenêtre et vous vous apercevez qu'il pleut. « Tant mieux ! Au moins je n'aurai pas à faire cette marche aujourd'hui. »

Erreur. C'est un jour comme les autres. Levez-vous. Enfilez un imperméable et passez la porte d'entrée. Point besoin d'aller aussi vite qu'une tornade, un petit peu de pluie n'a jamais fait de mal à personne. Avec un bon ciré et des bottes en caoutchouc confortables, la pluie n'est pas un problème. Si vous ne pouvez vraiment pas supporter le bruit de la boue visqueuse sous vos semelles, vous pourrez toujours trouver des endroits abrités où l'on marche à l'intérieur :

— les allées commerçantes. Presque toutes les villes en

ont. Ne vous arrêtez pas aux endroits où l'on vend de la nourriture. Vous n'avez d'ailleurs pas le droit de vous arrêter quand vous faites votre footing. Vous planifierez votre collation et votre tasse de café seulement quand l'heure sera finie ;

— les aéroports. Je ne parle pas de la piste. Je veux dire l'intérieur. En général, ce sont de grands bâtiments. Les parcourir d'un bout à l'autre permet de faire passer le temps à condition de se tenir à l'écart du bar ;

— les musées. Traversez-les d'un pas rapide. Vous n'aurez pas l'air bizarre mais simplement d'être à la recherche de quelqu'un. Mais il peut y avoir un problème si la pluie continue pendant plusieurs jours ou si vous habitez un endroit où il pleut tout le temps, comme en Normandie : les gardiens pourront commencer à avoir des soupçons à votre égard. D'un autre côté, vous pouvez ácquérir la réputation d'un grand amateur d'art. Assurez-vous bien que pendant que vous ralentissez le pas, vous avez l'air de regarder ce qui est accroché sur les murs. Quelqu'un pourrait vous interroger sur l'exposition du moment.

Le seul endroit où je ne vous conseillerai jamais d'aller faire votre promenade : les supermarchés.

Voici quelques suggestions pour votre équipement :

— un imperméable. Gardez-en toujours un avec vous que vous pouvez plier facilement et qui a un capuchon. Pour ma part, j'ai horreur des parapluies et je ne peux vraiment rien faire avec, surtout s'il y a du vent ;

— les bottes. Assurez-vous qu'elles sont bien imperméables. Avoir les pieds mouillés donne des ampoules.

Ne cessez pas de penser aux bienfaits de la pluie sur votre peau. Les beautés britanniques sont connues pour le teint clair qu'elles acquièrent en faisant des balades dans les brumes des landes.

Le froid

Ne me dites pas que vous ne pouvez pas marcher quand il fait froid. J'y arrive bien, moi, et j'habite Minneapolis, ville où même les marmottes ne sortent pas avant le mois de février. Enfilez votre manteau et vos moufles et n'oubliez pas combien vous êtes adorable quand vos joues sont rougies par le froid.

— Un bonus : les sujets modérément forts qui font de l'aérobic par temps froid brûlent les graisses superflues.

— Marchez contre le vent (c'est plus froid) au début de votre promenade, et avec le vent quand vous rentrez.

— Portez un chapeau. On perd une grande quantité de chaleur par la tête !

— Si votre walkman à cassettes faiblit à cause du gel, qui ralentit l'activité des piles, mettez-le sous vos vêtements, au contact de votre corps. A l'intérieur la puissance reviendra.

La chaleur

Un léger chapeau imbibé d'eau vous aidera à garder une certaine fraîcheur.

— Buvez beaucoup. Non seulement vous éviterez la fatigue mais quand on est déshydraté, le corps confond la soif et la faim et on peut avoir une faim de loup.

— Ressentir des crampes dans les mollets signifie qu'on manque de potassium (on en perd avec le sel en transpirant). Buvez du lait écrémé ; mangez des fruits riches en potassium — melons, bananes, oranges et abricots — pour votre collation ou bien une pomme de terre au dîner.

Les chaussures...

J'ai acheté plus d'une paire de chaussures, mais jusqu'en 1982, je n'en avais usé complètement aucune. Autrefois, je trouvais que les chaussures de marche étaient un vrai supplice, mais maintenant je ne peux plus m'en passer. Quand je me rends à une invitation, je les laisse dans un sac dans ma voiture. Quelques mots à ce sujet :

— Utilisez des chaussures pour la course. Les vêtements en nylon sont appréciables en été pour leur aération ; les vêtements en cuir sont bons par les temps de pluie et de neige. Ces derniers, imperméables, évitent les pieds mouillés.

— Effacez les éraflures des chaussures blanches avec du correcteur pour machine à écrire.

— Pour une nouvelle paire un peu raide, pliez chaque chaussure au niveau du coup de pied et laissez-la dans cette position toute une nuit.

— Quand des chaussures en nylon sont mouillées, bourrez-les de papier journal et laissez-les sécher (loin de la chaleur, à température ambiante directement sous la lumière du jour).

... et les chaussettes

— Portez plutôt deux paires de chaussettes fines qu'une seule épaisse pour conserver la chaleur et éviter les ampoules (si vous en attrapez une, coupez un rond de mousse en plastique, faites un trou au milieu et mettez-le sur l'ampoule).

— Achetez des chaussettes en soie pour mettre sur la peau, en première couche. C'est fabuleux pour conserver la chaleur.

Pour vous aider : achetez un walkman que vous pouvez porter à la taille

Il n'y a rien de pareil que la musique pour aider à prendre le rythme. J'ai commencé sur l'air *Sixteen Tones* et maintenant j'en suis à David Bowie. Non seulement on peut écouter sa musique préférée, mais on peut aussi faire tout un tas de choses avec un casque :

— enregistrez les airs d'opérette et promenez-vous avec les voix de Luis Mariano ou d'autres grandes vedettes ;

— achetez une bande pour apprendre une langue étrangère ;

— au lieu d'écrire une lettre, vous pouvez dicter pendant que vous marchez ;

— si vous avez un discours à faire, exercez-vous en vous le passant sur une cassette ;

— quand vous avez les idées claires, enregistrez une liste de tout ce que vous devez faire, à court ou long terme ;

— apprenez à chanter toutes les chansons que vous aimez.

Préférez marcher seul

Peut-être allez-vous entendre dire ici et là que vous devriez vous organiser pour faire votre footing en groupe avec des amis, des voisins ou des collègues de travail. Au premier jour de pluie, ils vous feront tous faux bond. C'est ce qui s'est passé avec mes amis. Ils n'avaient pas mon problème de poids et donc pas les mêmes motivations que moi.

Parfois, vous aurez probablement envie de tout abandonner ; mais souvenez-vous que vous avez du chemin à parcourir avant d'être à nouveau normal. Une de mes bonnes amies, une jeune femme, qui a toujours eu un corps superbe, m'avait promis de m'accompagner un jour, mais le temps était pourri et elle décida de rester chez elle. Je me retrouvai seule dehors avec mon anorak, mon bonnet et mes gants en train d'avancer et j'eus un gros coup de cafard. « Pourquoi moi ? Pourquoi être obligée d'en faire autant ? » J'étais, bien sûr, persuadée d'être la seule à souffrir à ce point. En arrivant au lac, je rencontrai des douzaines de gens en train de faire la même chose, aussi bien pour se mettre en forme que pour la garder. (Quand on a un désir refoulé de vengeance, cela fait du bien de savoir qu'un jour la foudre tombera sur ceux dont on veut se venger. Toutes ces amies, qui restent chez elles sans rien faire, souffleront plus tard comme des bêtes pour perdre les quelques kilos qu'elles sont en train d'acquérir.)

Profitez pleinement de ce que vous êtes dehors et tout seul. Au moins, vous n'êtes pas forcé d'écouter les ragots de vos copines.

Autre gratification : le prix du silence ! Quand on a passé la plupart de sa vie à essayer de faire réduire le niveau sonore d'un bureau, d'enfants, d'animaux domestiques et d'autres chéris, on a l'impression de devenir fou quand on se retrouve seul. Faire de la marche à pied donne cette occasion qu'on trouverait par ailleurs impossible. Si vraiment le bruit vous manque, écoutez des cassettes.

Le footing donne une silhouette de rêve, mais aussi...

— favorise la circulation. Les mains et les pieds ne sont pas aussi froids que d'habitude ;

— réduit les risques d'ostéoporose, maladie osseuse banale chez la femme d'un certain âge. Une meilleure forme physique fortifie le squelette ;

— amoindrit le risque de durcir les artères en augmentant l'HDL cholestérol, une protéine sanguine qui transporte l'autre sorte de cholestérol et l'empêche de se déposer sur la paroi artérielle. Cela donne un terrain moins favorable aux maladies de cœur et aux attaques, à un âge plus avancé ;

— stimule la sécrétion d'endorphines. Cela donne le meilleur sommeil qu'on puisse jamais connaître. Maintenant je n'arrive pas à dormir si je n'ai pas fait ma marche habituelle. J'ai donc deux motivations : rester mince et bien dormir ! Comme ça, j'évite de me lever la nuit pour manger ;

— prévient le diabète de la maturité ;

— améliore la posture, ce qui réduit les lombalgies, les crampes dans les jambes, les varices, et fortifie les abdominaux ;

— laisse vos problèmes s'évanouir. Vous ne vous en débarrasserez peut-être pas complètement, mais au moins, cela vous délivrera de vos tensions internes.

13.

LES QUARANTE-QUATRE RÈGLES D'OR DE MARY ELLEN

1. *Prenez un rendez-vous avec un médecin et gardez-le*

Dans tous les livres de régime, vous avez sûrement lu cette mise en garde :

ATTENTION ! Ne vous embarquez pas dans cette affaire ni dans aucune autre sans avoir consulté d'abord votre médecin !

Mais l'avez-vous fait ? Sachant que si ce régime, à base de Coca-Cola par exemple, vous réussissait, votre médecin se serait moqué de vous et vous aurait immédiatement mis à la porte ? J'insiste pourtant sur le fait que vous devez aller le voir. Je ne dis pas ça pour me désavouer si vous n'y allez pas et si quelque chose ne marche pas. Je ne me fais pas de mauvais sang, mais au contraire, je veux que tout se passe bien. Si vous êtes dans le même état que moi le jour où je suis allée consulter le docteur J.H. pour la première fois, il est grand temps de faire un bilan complet. Assurez-vous simplement que vous allez voir quelqu'un en qui vous pouvez avoir confiance. Et qui sait ? Vous aurez peut-être la chance, par miracle, que votre thyroïde soit la cause de tous vos soucis !

2. *Ne remettez jamais à demain ce que vous pouvez faire aujourd'hui*

Je connais par cœur toutes les excuses. Je les ai moi-même utilisées. J'ai même une fois planifié de commencer mon prochain régime le jour du passage au-dessus de la terre d'une certaine comète. Or, celle-ci ne vient que tous les soixante-quatorze ans et on l'avait vue la veille du jour où j'ai fait ce vœu ! Aucune règle ne dit qu'il faut attendre lundi ou la fin des vacances pour commencer un régime : évidemment, le jour de Noël est moins gai si l'on ne peut pas se bourrer de dinde. Si vous êtes comme moi à l'époque, alors c'est gagné ! Plus vous reculez le moment de commencer, plus vous serez gros quand vous vous déciderez enfin. Allons, dès maintenant décrochez votre téléphone et prenez rendez-vous chez un médecin. Mais avant d'y aller, finissez ce livre et commencez à mettre en route votre emploi du temps pour le footing. (Vous pouvez acheter vos chaussures de marche et vos aliments de régime en revenant du cabinet médical).

3. *Oubliez ce rêve de ressembler à une belle et plantureuse nana... tant que vous n'en êtes pas devenue une*

Les mannequins qui présentent les robes dans les catalogues réservés aux grandes tailles s'ils pèsent près de 100 kilos ont toujours des corps aussi fermes que le rocher de Gibraltar et l'air magnifique. Mais l'acheteur moyen de ces tenues n'a jamais l'allure de ces cover-girls. Si seulement cela avait été mon cas, j'aurais été très fière. La seule agence de mannequins qui aurait bien voulu de moi quand je faisais plus de 100 kilos s'intitulait « Grosse tête » ! Quand on est forte de taille, il suffit de chercher des hommes de vaste carrure pour se mettre en valeur à côté d'eux. Malheureusement, il n'existe pas beaucoup de BGM (Beau Gros Mec).

4. *Prenez vos repas dans des assiettes de taille normale*

Je ne crois pas au courant de pensée qui conseille de se servir d'une dînette de poupée pour croire qu'on en a davantage. Il vaut mieux apprendre combien de calories sont contenues dans 180 grammes de poulet. Cela permet d'évaluer mieux et partout ce qu'on mange. Quant au conseil de toujours laisser quelque chose dans son assiette, c'est encore plus stupide. Si on ne doit pas tout manger, pourquoi en prendre autant ?

5. *Notez tout ce que vous consommez*

Absolument tout. Le petit bout de beurre par-ci, le morceau de pomme par-là. Tout ce qui finit par s'ajouter jusqu'à faire plusieurs milliers de calories, quand on s'écarte des rails. A la fin du livre, vous trouverez un exemple de page pour programmer une journée. Faites-en quelques photocopies et gardez-les toujours dans votre sac avec un crayon. Croyez à ce système autant qu'à votre premier régime.

6. *Si vous êtes pris d'une fringale, attendez vingt minutes avant d'y succomber*

Nous y voilà ! Le reste du gâteau d'anniversaire de votre fils, par exemple. Vous en mourez d'envie. N'en faites rien. Commencez par boire un verre d'eau, puis trouvez-vous une occupation pendant les vingt minutes qui suivent. Marchez. Prenez un livre. Téléphonez à un ami. Neuf fois sur dix, ce sentiment d'urgence vous passera. Ce qui vous avait séduit avec autant de charme qu'une sirène vous paraîtra beaucoup moins attirant après avoir retardé le moment de vous gratifier… et si, après tout, vous le mangez, allez faire une petite promenade d'environ quinze minutes. Ainsi vous n'avez pas pu résister ! J'espère que c'était bon. Maintenant oubliez tout ça, surtout pas de sentiment de culpabilité, et sortez de chez vous. Prenez un bonus de quinze minutes de marche. Vous venez simplement de retourner une situation négative en quelque chose de positif. Tout en marchant, souvenez-vous que vous ferez mieux la prochaine fois.

7. *L'erreur est humaine, faire la bombe est divin*

Regardons les choses en face. Vous allez tricher pendant quelque temps. Cela m'est arrivé et c'est normal. Je vous garantis que c'est beaucoup plus facile de rester fidèle au programme quand on a déjà obtenu les premiers résultats. De plus, au bout d'un moment, on commence à perdre le goût des restes qui tentaient par le passé. Mais il se présente toujours des occasions pour déborder un peu de ce qui est permis. Dans certains cas, je faisais l'impasse totale au régime. Mais le lendemain, au lieu de commencer, dès le réveil, par un litre de glace, je prenais un petit déjeuner normal, faisais ma marche à pied et reprenais tout simplement le programme (sans pour autant m'imposer plus de restrictions parce que j'avais dérapé). La plupart des régimes échouent parce qu'on se dit : « J'ai trop mangé hier soir, j'ai gâché tout ce que j'avais fait jusque-là. »

8. *Mangez quatre fois par jour*

Je croyais me faire du bien quand je sautais le petit déjeuner. Pourquoi manger, si je n'avais pas faim ? J'ai toujours considéré ce repas comme un supplément de calories inutiles. Je sautais souvent les déjeuners aussi. Au moment du dîner, j'avais vraiment envie de quelque chose de substantiel et d'énorme comme un arbre par exemple ! Je démarrais à six heures du soir et continuais, avec quelques pauses de temps à autre, jusqu'à minuit. Maintenant je sais combien il est important de manger régulièrement. On se laisse moins envahir par la faim et donc on ne se gave pas. Par ailleurs, quand on mange, on met en route la thermogenèse, le processus au cours duquel l'organisme brûle les calories superflues simplement en réponse à l'ingestion des aliments. Quand on ne mange pas, ce phénomène disparaît et on réduit aussi son métabolisme de base. Cela peut s'appeler « faire du lard », mais cela met surtout au ralenti.

9. Pas de casse-croûte

Soyons honnêtes. Il n'existe pas au monde un seul cabas suffisamment vaste pour transporter toute la nourriture dont on a vraiment envie. Quand on est en train de manger une carotte crue, ce n'est absolument pas de cela dont on a envie, mais plutôt d'un gros morceau de gâteau au chocolat.

Comment pourrais-je vous dire de grignoter une pomme en guise de gâteau ? Puis-je croire que votre réaction sera : « Quelle bonne idée ! Je vais prendre une pomme au lieu d'un paquet de bonbons ! » Si vous aviez cette attitude, vous n'auriez sûrement pas tant de kilos à perdre.

Tout ce qu'on fait, en mangeant des carottes, des céleris ou des pommes, c'est de remplacer un aliment par un autre. Et vous devriez vous entraîner à ne manger qu'aux repas. En suivant correctement le programme, vous n'aurez jamais faim en dehors de ceux-ci.

10. Ne mangez pas pour vous remonter le moral

La plupart d'entre nous pensent qu'en prenant un petit morceau de quelque chose, nous nous sentirons mieux. Quand nous sommes à plat, la nourriture devrait nous donner un sursaut d'énergie. Mais réfléchissez. Le mot « énergétique » ne s'applique que rarement à ceux qui mangent tout le temps. Il ne s'agit pas du remède universel.

Quand vous avez le vague à l'âme et que vous êtes fatigué, sortez de la cuisine et couchez-vous pour éviter de vous ruer sur le four ou sur le réfrigérateur et de vous faire du mal. La prochaine fois que vous vous sentirez capable d'une telle expédition, arrêtez-vous avant qu'il ne soit trop tard et interrogez-vous sur la réalité de votre faim.

Voulez-vous seulement manger un morceau ? Avez-vous fait un vrai repas au cours des deux dernières heures ? Avez-vous eu quelque tracas ou quelque joie ? Ce que vous ressentez n'est pas vraiment de la faim.

Ou bien avez-vous sauté un repas ? Cela fait-il plus de quatre heures que vous n'avez rien avalé ? Seriez-vous satisfait par un repas nourrissant au lieu d'un petit bout de quelque chose ? Avez-vous vraiment une sensation de vide ? Chacun de ces signes correspond à une vraie faim et il est temps de faire un repas.

11. Posez votre fourchette entre deux bouchées

Posez aussi votre cuillère et votre couteau. Les pailles sont dorénavant interdites. Participez à la conversation quand vous mangez. Ne vous jetez pas sur la nourriture. Regardez comment font les gens minces. Ils ont parfois quelque chose sur leur fourchette mais l'oublient pendant qu'ils parlent. Quant à vous, je parie que cela ne vous arrive jamais.

Saviez-vous que les recordmen de vitesse en matière de nourriture peuvent avaler trois plats en vingt grosses bouchées ? Vingt fois et tout est fini. On dirait des aspirateurs superpuissants. Vous, vous devez apprendre à être de simples petits balayeurs.

Voici comment. Pour le déjeuner, prévoyez trente minutes. Pour le dîner, de trente à quarante-cinq minutes. Posez la fourchette à chaque morceau. Mâchez chaque bouchée au moins huit à dix fois. Avalez et comptez quatre secondes avant de reprendre votre fourchette et le la replonger dans votre assiette. Faites ça pendant deux jours.

Je préfère vous prévenir de l'extrême difficulté de cet exercice. Vous ne garderez absolument pas un excellent souvenir de ces repas, mais là n'est pas le problème. Le but de cette technique est de vous faire aller plus lentement. C'est automatiquement efficace au bout de deux jours. Vous n'aurez pas besoin de compter les minutes à chaque repas.

12. Manger à table seulement

La nourriture a toujours été une amie. Effectivement, je me déplaçais rarement sans en emporter avec moi. Il y en a eu jusque dans ma salle de bains : de l'huile d'olive sur les cheveux, des jaunes d'œufs et de la mayonnaise sur la figure et des chips sur les lèvres. L'huile était destinée à redonner à mes cheveux leur éclat naturel et je me servais des jaunes d'œufs et de la mayonnaise pour un masque facial. Les chips ne faisaient pas réellement partie du traitement. Elles me tenaient simplement compagnie.

Dans la famille de mon amie Gaëlle, la machine à laver la vaisselle sert de desserte pour grignoter entre les repas. Leur théorie consiste à dire que si l'on mange debout, cela ne compte pas. C'est faux, bien sûr. Regardez les éléphants par exemple : ils mangent debout.

Votre table de cuisine ou de salle à manger a été achetée pour y prendre des repas, non pour y découper des patrons ou y faire faire les dessins de vos enfants. Essayez de l'utiliser pour ce à quoi elle est vraiment destinée. Si vous savez que vous devez vous asseoir pour un repas, vous n'allez pas voler quelques calories à la sauvette.

13. *Ne faites rien d'autre pendant que vous mangez*

Rappelez-vous le bonhomme qui ne pouvait pas marcher et mâcher du chewing-gum en même temps : il a été président de la République ! Suivez son exemple et lorsque vous êtes en train de mâcher, ne faites rien d'autre. Manger est une activité tout à fait légitime. Cela mérite une pause dans son emploi du temps. Appréciez votre nourriture. Ne vous précipitez pas dessus. Ne descendez pas tout alors que vous lisez le dernier roman de James Michener [1]. Ne vous y attaquez pas non plus pendant que vous regardez la télévision. Les émissions où il y a du suspense pourraient vous entraîner loin dans la consommation. Quand on s'intéresse à quelque chose d'autre, on peut très bien oublier qu'on mange ; et c'est alors qu'on commet des abus.

14. *Photographiez-vous à différents stades de votre régime*

Bien sûr, vous n'avez pas envie de vous regarder, mais vous obligez les autres à le faire. Vous êtes vraiment seul à ne pas savoir à quoi vous ressemblez. Ne pratiquez pas la politique de l'autruche, la tête enfouie dans le sable. Prenez des photos avant de commencer votre régime et gardez-les toujours à l'esprit (ou dans votre sac). Il y a un côté positif, après cette première fois, il ne peut y avoir que des améliorations qui vous stimuleront pour suivre le programme que vous vous êtes fixé.

1. Auteur américain de nombreux best-sellers.

15. Regardez-vous dans les glaces

Ne vous regardez pas seulement dans les miroirs de poche, mais aussi les glaces en pied.

Mon ami Melvin a commencé à se mettre à la course à pied vers ses quarante ans. Un jour de la première semaine, comme il retournait chez lui vers sept heures et demie du matin, il remarqua une étrange silhouette qui s'avançait vers lui. Il était un peu inquiet, mais ne pensait pas pour autant que ce type l'agresserait. Pourtant, il avait une sale mine — son visage était crispé, ses cheveux allaient dans tous les sens, ses vêtements étaient vieux. « Ce doit être un toxicomane », s'imagina Melvin. En se rapprochant, il s'aperçut qu'il se voyait dans un miroir.

Je me suis moi-même fait peur aussi. Un peu avant de commencer mon régime, je m'étais rendue à une réception où j'avais bu quelques coktails. Ces derniers me donnèrent le courage, en rentrant à la maison, de me déshabiller et de me planter en face d'une glace, toute nue. Jusque-là, j'avais pu croire que la chose la plus terrifiante que j'avais jamais vue était la mâchoire du requin dans *Les Dents de la mer*.

Je peux en rire aujourd'hui, mais ma contemplation nocturne est une des motivations qui me poussèrent à démarrer mon régime. Maintenant, j'aime me regarder et cela fait partie de ce qui m'aide à continuer.

16. Prenez vos mesures

Mon amie Judy, qui est assez ronde, se vantait de sa petite-fille : « On lui voit les côtes, dit-elle, ce qui n'est jamais arrivé depuis des générations dans ma famille. » Pour moi, ces os n'étaient pas les seules parties de mon corps qui avaient disparu. J'avais même oublié qu'il pouvait exister des salières. Je n'arrivais même pas à me représenter mes genoux dans l'espace.

Vous verrez la différence à vos vêtements, mais si vous me ressemblez, vous avez besoin de tous les encouragements possibles. Aussi, avant de commencer, respirez à fond une bonne fois et prenez vos mesures. Évidemment, expirez avant de regardez ce qu'indique le centimètre !

Peu importe que le périmètre de vos cuisses soit égal à une fois et demie celui de la taille de Scarlett O'Hara dans *Autant en emporte le vent*. N'oubliez pas que c'est le pire moment. A partir de maintenant, les choses n'iront qu'en s'améliorant.

Recommencez dès que vous bougez d'un palier à un autre. Si vous restez stable quelque temps, mesurez-vous toutes les deux semaines. Vous serez étonné du résultat.

17. *Pesez-vous seulement une fois par semaine*

Un des exercices auxquels j'étais le plus habituée consistait à traîner la balance dans toute la pièce pour essayer de trouver un endroit où je serais moins lourde. Qui tentais-je de tromper ? La seule chose qui soit plus minable que de se duper soi-même quant à son poids est de tricher aux cartes en faisant des patiences.

Les adeptes des régimes sont tentés de tout laisser tomber dès qu'ils passent un jour sans maigrir. « Que diable, se disent-ils, je pourrais tout aussi bien manger la moitié d'un bœuf, puisqu'il ne m'arrive rien de mieux. »

Quand on prend l'engagement de suivre un régime, on s'embarque pour une longue route. Sachant que le poids varie d'un jour à l'autre, ne vous pesez qu'une fois par semaine, le même jour, à la même heure. Sans rien sur vous pour ne pas avoir la tentation de faire endosser la responsabilité de trois kilos de trop à vos chaussures. Si vous ne vous écartez pas du programme, vous constaterez une perte de poids.

18. Pesez et évaluez votre nourriture

Achetez une balance pour votre cuisine et pesez votre nourriture. Pas besoin d'un gros appareil, un petit suffira. Mesurez aussi vos aliments : une pleine cuillerée a une contenance presque deux fois supérieure à une cuillerée rase ; de même pour les calories.

Peser la nourriture permet d'apprendre à juger les proportions d'un simple coup d'œil. On peut aussi suivre exactement ce qu'on doit faire même quand on ne mange pas chez soi. Voici quelques trucs : un morceau de viande de 120 grammes est à peu près de la taille d'un jeu de cartes. Pour évaluer une demi-tasse, fermez le poing : la distance entre le haut du médium et la base du petit doigt représente une demi-tasse.

Toutefois si vous êtes vraiment si doué à ce petit jeu de devinettes, comment avez-vous donc réussi à vous convaincre que vous n'aviez pris qu'un kilo depuis la dernière fois que vous êtes monté sur une balance ?

19. Ne vous démoralisez pas

Ne collez pas de posters représentant des cochons sur votre réfrigérateur. N'essayez aucun gadget qui tente de vous dégoûter de votre graisse. J'ai fait l'épreuve et cela m'a tellement déprimée que je suis allée directement m'acheter un autre réfrigérateur. Un déménageur de mes connaissances m'a dit un jour : « Le corps est seulement la console de l'âme. » Dessous, il n'y a qu'un seul bagage en excès et c'est nous — le même esprit restera une fois que le corps sera parti. Commencez à vous respecter maintenant. Imaginez comme vous vous sentirez bien lorsque vous aurez réussi.

20. Ne soyez pas trop embarrassé

Vous êtes donc gros. Ce n'est pas un crime contre l'humanité. Et vous êtes probablement d'une compagnie plus agréable parce que vous êtes comme cela. Sérieusement, avez-vous déjà remarqué que les gens les plus plaisants n'étaient pas au départ de grands dadais ? Dès que vous aurez compris que votre apparence ne réside pas seulement dans l'importance de votre costume, et si vous avez un tant soit peu de cerveau, on tirera de vous un tout autre portrait.

21. Ne soyez pas obsédé

Deux de mes amies qui avaient du temps à perdre décidèrent de faire une recette de gâteau aux pommes avec des biscuits. En fait, on n'a pas besoin de pommes mais seulement de trente-six biscuits. A un moment critique de la préparation, l'une d'entre elles découvrit qu'il en manquait un. « Cela ne marchera pas, dit mon autre amie, avec trente-cinq, c'est un gâteau à la fraise qu'on fait ! » Les gens qui sont au régime ont souvent cette façon de penser. Dès qu'ils mangent trois cerises au lieu de quatre, ou quatre au lieu de trois, la formule magique s'évanouit.

C'est faux, bien sûr. Dans l'idéal, on suit exactement un programme. N'exagérez pas non plus et ne jetez pas tout le temps 30 grammes par-ci ou par-là. Mais si vous n'arrivez pas à convaincre un restaurant de vous servir exactement 120 grammes de poulet, ou si vous avez déplacé votre cuillère-mesure et que vous êtes obligé d'évaluer votre mayonnaise avec une cuillère à soupe, ce n'est pas la fin du monde, ni celle de votre régime.

22. *Faites vos courses après avoir mangé*

Sinon vous traverserez les supermarchés comme Superman. Ces magasins ont un seul but : gagner de l'argent et savent particulièrement bien s'y prendre. Négligeant à quel point vous êtes déjà rassasié, ils s'y connaissent très bien pour vous faire saliver.

Autrefois, j'avais pris l'habitude d'acheter des petits roulés sucrés, de les ramener chez moi, les saupoudrer de cannelle et les mettre au four. Rien qu'une bouffée de l'odeur qu'ils dégageaient et on aurait cru que j'avais cuisiné toute la journée. C'est exactement la technique des supermarchés. J'ai intitulé cette méthode le « truquage du cuisinier ». Ne vous laissez pas tromper. Ce que vous sentez là n'est probablement pas fait à cet endroit du début à la fin. C'est réalisé en usine et les gens qui y travaillent sont minces probablement parce qu'ils sont dégoûtés.

23. *Faites une liste de courses*

Vous économiserez non seulement des calories mais aussi de l'argent. Pas de frénésie d'achat. Essayez seulement les rangées des supermarchés qui sont sur leurs bords. C'est en général l'endroit où se trouvent les fruits, les légumes, les viandes, les produits du jour et le pain. Dès que vous êtes dans les travées intérieures, les problèmes commencent. C'est là que sont entreposés gâteaux et bonbons, nourriture d'agrément et autres camelotes. Plaidez la fatigue et demandez si l'on peut aller vous chercher votre épicerie, puis prenez les produits d'entretien et vos diverses fournitures dans une droguerie.

24. *Ayez des soupçons à l'égard de la nourriture qui ne se trouve pas là où elle devrait être*

Les supermarchés sont très forts pour le commerce. C'est pourquoi, on est obligé de faire des kilomètres entre les jus de fruits et le thé. Encore mieux, on cherche les fraises et on découvre des gâteaux et de la crème fouettée là où ils n'auraient jamais dû être. Dans ces magasins, les aliments à grignoter, qui ne sont absolument pas essentiels sur un plan nutritionnel, sont toujours mis en avant de cette manière. Notez que cela n'est jamais le cas pour les produits qui sont considérés comme bons pour la santé. Je n'ai jamais vu étaler des oignons dans une gondole de promotion.

25. Apprenez à lire les étiquettes

Vous regardez bien celle de vos robes. Vous glissez un œil sous l'assiette de votre hôte pour en déchiffrer l'origine. Limoges ou Wedgewood ? Pourquoi ne cherchez-vous pas à savoir ce que vous mettez dans votre bouche ?

J'ai acheté une fois un gâteau glacé à un vendeur ambulant parce qu'il m'avait dit que c'était à base de lait écrémé et de vrais fruits. Basses calories, pensais-je. En enlevant l'emballage, je vis qu'il y avait d'autres ingrédients comme de la crème fraîche et du sirop de canne. Pourtant, le marchand avait une si bonne tête...

Laissez tomber les conserves et les plats cuisinés : c'est plein de sel, de sucre et d'additifs comme vous le verrez en lisant les étiquettes.

Vous irez de révélation en révélation. Par exemple, il faut savoir que les composants sont donnés dans l'ordre suivant : le plus important en quantité vient en premier, puis suivent chacun des ingrédients en ordre décroissant. Un grand nombre de produits d'entretien affichent « solution aqueuse » en tête de liste. C'est simplement de l'eau. Celle-ci est aussi le premier constituant d'un tas de « boissons aux fruits ». Je me suis toujours demandé combien de gens comprennent que ces jus 100 % naturels sont le plus souvent faits de 10 % de fruits, le reste étant de l'eau et du fructose. C'est peut-être naturel parce que ce n'est pas synthétisé dans un laboratoire, mais c'est du sucre.

Vous devriez, de toute façon, laisser tomber les jus de fruits. Un verre d'un quart de litre équivaut en calories à au moins deux vrais fruits. Si la Nature avait voulu que vous en consommiez deux ou trois en même temps, elle aurait donné à Ève une boîte de conserve et une paille !

26. *Quand vous sortez de la nourriture d'un placard, faites de même pour vos vêtements trop larges*

Débarrassez-vous de ces habits-là. Ils existent seulement pour l'échec. On s'imagine que si le régime ne marche pas, les vêtements dans lesquels on est à l'aise feront le travail à la place. Voici notre ennemi. Donnez-les. Par exemple à l'Armée du salut. Je sais bien que c'est difficile de se faire une garde-robe quand on a beaucoup de poids à perdre. Mais vous pouvez certainement modifier ce qui est trop large. Cela donnera non seulement un air de jeunesse à vos fringues mais aussi cela vous encouragera à continuer. Dès que la couturière a enlevé quelques dizaines de centimètres d'un seul trait, il n'y a aucun moyen de revenir en arrière. Achetez aussi quelques tenues bon marché à votre nouvelle taille : une paire de pantalons et deux ou trois blouses. Vous en avez besoin pour vous sentir bien et vous le méritez. Enfin, vous pouvez toujours trouver une ceinture pour les robes que vous avez laissées avec vos affaires habituelles. Chaque nouveau cran que vous serrerez deviendra, pour vous, source de joie.

27. *Portez des vêtements qui ont une forme*

Il n'y a que Lawrence d'Arabie pour être bien dans une tente ! J'y suis allée souvent ! Pas en Arabie, mais dans un tas de robes aussi larges que hautes. J'en avais suffisamment pour tenir dessous une garden-party. Maintenant, voici la triste vérité. Ce type d'habit vous rend encore plus grosse. Sortez de vos smoks. J'adore ceux-ci mais je préfère les réserver aux robes des petites filles. On peut tout aussi bien considérer que c'est une tentative évidente pour cacher la graisse.

Apprenez à mettre des vêtements qui montrent votre corps. D'une part quand on essaie de rentrer dans des habits munis de fermetures éclair et aux tailles bien soulignées, on est obligé de se regarder et de se représenter honnêtement combien de kilos on doit perdre. D'autre part, dès que la graisse commence à disparaître, vos amis peuvent plus vite s'en apercevoir. Vous méritez d'être complimenté.

28. *Ayez un mangeur par procuration*

Les femmes de la *jet society* se montrent souvent avec des cavaliers servants à leurs bras pour les escorter pendant que leurs maris travaillent comme des nègres. Alors que je vous conseille de faire seule votre footing, je pense qu'un accompagnateur peut être bénéfique quand vous vous rendez à une réception. Et pendant que vous y êtes, prenez aussi un « mangeur ». C'est quelqu'un qui vient avec vous et mange tout ce dont vous aimeriez vous gaver mais sans le pouvoir. Je ressens toujours quelque émotion à déléguer mes actes à un mangeur par procuration qui est idéalement quelqu'un de très mince avec un métabolisme de base très élevé. Mon amie Joannie est une P-DG et doit se rendre à un tas de déjeuners somptueux où elle a remarqué que certains de ses partenaires ne sont pas à l'aise quand elle ne mange que 400 calories par repas. Elle a donc pris l'habitude d'amener son assistante comme « mangeur par procuration » pour que ses invités ne soient pas seuls à s'adonner aux plaisirs de la table. Joannie a bien maigri, mais Heather, qui n'avait pas autant mangé jusque-là, a consommé une nourriture tellement riche qu'elle est passée de la taille 36 à la taille 52. Je vais lui envoyer un exemplaire de mon livre !

29. *Au restaurant, ne lisez pas le menu*

Ce n'est pas comme si vous étiez un extra-terrestre. Vous en connaissez un bout au sujet des menus. Vous êtes déjà allé au restaurant. Vous savez bien ce que vous y trouverez. Réfléchissez à ce que vous pourriez manger sans regarder le menu — poisson grillé, steak, poulet rôti, salade verte sans assaisonnement, légumes. Il y aura certainement un jour où vous pourrez manger comme quelqu'un de mince, mais tandis que vous essayez de vous en tenir à un certain nombre de calories, tâchez de vous faciliter la vie. Si j'étais à votre place — et je l'ai été —, j'éviterais ce genre d'endroit.

30. *Ne croyez pas toutes les sornettes des serveurs*

La plupart des serveurs et des serveuses sont de bonnes pâtes, mais au moins une fois de temps en temps, on a affaire à l'un de ces personnages sortis tout droit du film *Five easy pieces,* qui dit à Jack Nicholson qu'on ne peut pas lui servir de pain grillé. (Vous souvenez-vous de ce qu'il a fait ? Il a commandé une salade de poulet. Sur du pain blanc. Du pain blanc grillé. Puis, comme la serveuse s'en retournait vers la cuisine, il a ajouté : « Et gardez-vous la salade de poulet ! »)

Ne vous laissez pas intimider. Pensez bien que dans la plupart des restaurants — en particulier s'ils ont un bar —, on a presque tout vu. Je ne vous conseille tout de même pas, comme le font certains, de donner au garçon un petit morceau de papier avec la liste des aliments que vous aimeriez et dont la majorité n'est probablement pas au menu. Ce serait vraiment chercher les ennuis.

Par ailleurs, demander qu'on remplace une pomme de terre par un légume vert ou que votre poisson soit grillé sans beurre ne devrait pas déclencher de réponse acerbe. Je vous le signale parce que les personnes fortes n'osent souvent pas s'imposer quand elles sont au restaurant. Elles s'imaginent que tout le monde pense : « A quoi bon ? Vous avez déjà suffisamment mangé pendant toute votre vie. »

31. Le ketchup est le meilleur ami des adeptes des régimes

Pas sur un steak. Sur un millefeuille. Quand on a envie de grignoter et qu'on a assez mangé ou qu'il y a quelque chose d'absolument défendu, mettez du ketchup dessus. Mettre du ketchup sur autre chose que de la viande, c'est mortel. Sinon saupoudrez de sel. Ce n'est peut-être pas une manière de se comporter dans un restaurant. Mais qu'importe ?

32. Apprenez tout sur la nutrition

Même si j'en avais envie, je ne peux pas faire rentrer tout ce que vous devriez savoir sur le sujet dans ces quelques pages. Il existe des bibliothèques qui contiennent un tas d'informations. Commencez par lire un ouvrage d'un de nos spécialistes de la nutrition comme le Pr Apfelbaum ou le Dr Apfeldorfer [1] au lieu d'un roman. Vous stimulerez votre esprit en même temps que votre corps et vous aurez quelque chose à dire dans les cocktails au lieu de faire des ronds autour du buffet. Faites

---

1. Dr Gérard Apfeldorfer, *Apprendre à changer* et *Vivre mince*, Laffont.

simplement attention à ne pas trop culpabiliser, avec toute les connaissances que vous avez acquises, votre hôtesse, qui sert des alcools « toxiques ».

33. Ne servez pas les repas dans les plats de service

Servez-vous ainsi que votre famille dans la cuisine pour donner à chacun la quantité adéquate. Évitez la tentation de prendre un bol rempli à ras bord de tout ce qui est devant vous. Si un membre de votre famille veut un supplément, laissez-le retourner le chercher à la cuisine. La promenade lui fera du bien sans doute.

34. Ne parlez de nourriture ou de régime que lorsque vous mangez

Avez-vous remarqué que les gens minces parlent toujours de ce qu'ils mangent tandis que les gras ne parlent que de ce qu'ils ne mangent pas ? (« Je n'ai pris que 180 grammes de fromage blanc, aujourd'hui. » Bien sûr, ils mentent parfois.) Les deux sujets sont relativement ennuyeux une fois qu'on a quitté la salle à manger. C'est pourquoi on ne devrait en discuter qu'à condition d'appartenir à un groupe de gourmets, auxquels je ne donnerai définitivement aucun conseil. Choisissez-vous un autre passe-temps, comme la plongée sous-marine. Il est difficile d'emporter un casse-croûte sous l'eau !

35. Quand c'est fini, c'est fini

« Demain » devrait être votre nouveau refrain. On peut toujours remettre à demain le moment d'augmenter sa ration calorique. Lorsque c'est la fin d'un repas, posez votre fourchette et levez-vous de table, rapidement. Débarrassez et sortez de la pièce. Encore mieux, allez vous promener un petit peu dehors.

36. Ne rôdez pas dans la cuisine

Sortez de là. Si vous êtes dans la cuisine, je parie que ce n'est pas pour en admirer le papier peint. Accordez-vous seulement un bref passage. Moins vous vous laissez envahir par la nourriture et ce qui va avec, mieux vous serez. Cela est valable aussi bien pour votre cuisine que pour celle des autres. Asseyez-vous dans le jardin, asseyez-vous dans la salle de séjour. Ne proposez même pas votre aide pour ranger dans les réceptions. Laissez les autres le faire à votre place.

37. Répétez les situations à hauts risques

Quand je prévoyais une occasion particulièrement difficile, j'avais l'habitude d'imaginer ce que j'allais manger. Je continue de le faire ; seulement, maintenant, cela me prend beaucoup moins de temps parce que j'ai beaucoup moins de nourriture à planifier.

J'essaie vraiment de m'imaginer dans une situation que je sais être difficile — une réception, un dîner pendant les vacances, un repas dans mon restaurant favori — et je décide ce que je ferai en fonction de chaque cas. Si j'ai décidé de prendre deux boissons, je suis un plan et je les prévois selon un horaire précis. Sinon, je pourrais « oublier » bien à propos combien j'en ai déjà pris et dépasser ce que je me suis fixé. C'est aussi très facile de trop manger lorsque des amis vous invitent à l'improviste, à moins que l'on ait décidé juste avant qu'on se contrôlera et que l'on a planifié comment.

38. Arrêtez de faire des provisions de guerre

J'ai calculé un jour que si jamais trois douzaines de réfugiés atterrissaient sur mon perron au milieu de la nuit, je pourrais leur servir au moins quatre pralines chacun.

S'ils ne viennent pas, j'en aurais plein pour moi. Je n'avais même pas besoin de me compliquer la vie pour les faire. Il me suffisait de les sortir du paquet.

J'avais un ami réellement passionné par les gâteaux d'anniversaire. Il faisait le tour de la ville en commandant des pâtisseries décorées (« Joyeux anniversaire, Jean », « Joyeux anniversaire, Robert » et ainsi de suite) puis rentrait à la maison les déguster tout seul. Il s'est mis à les congeler, pour ne pas les manger tous d'un coup. Mais il a découvert que la meilleure place pour décongeler la nourriture était son estomac.

Tout ce qui était riche en calories et qui traînait dans la maison finissait toujours dans ma bouche. Tant que vous n'avez pas acquis exactement le contrôle de ce que vous mangez, ne gardez rien qui pourrait vous attirer. Rangez tout ce qui vous tente au fond des placards pour ne pas l'avoir sous le nez. Si vous avez peur que vos amis trouvent que vos placards sont vides, c'est le moment de vous poser des questions à leur sujet. Recherchent-ils votre compagnie ou vos gâteaux ? Bien plus : avez-vous un garde-manger rempli pour eux ou pour vous ?

39. Quand les invités s'en vont, la réception est terminée

Une scène vraiment pathétique est celle où l'on voit un bonhomme avec des serpentins et des confettis dans les cheveux, debout dans une salle vide, au milieu d'une pile d'assiettes sales, en train de s'empiffrer de restes froids. Une fois vos amis partis, jetez tout ce qui n'a pas été mangé. Si vous n'y arrivez pas, donnez-en à vos amis quand ils s'en vont. Dites-leur que pour vous, c'est une grande faveur de leur part. Sinon, les restes s'accrocheront mais plutôt à votre ceinture.

40. Trouvez un nouveau repaire

Une de vos règle d'or est de rester à l'écart de tout endroit où le serveur vous demande : « La même chose que d'habitude ? » Vous savez bien que ce n'est pas une salade verte. Quelques serveurs stimulent certaines sortes d'attitudes. Si votre repaire est le café du coin, vous serez épouvantablement tenté de commander votre cocktail favori, ou bien une autre faiblesse comme une tarte aux pommes. Éloignez-vous de ce genre d'endroits tant que vous n'êtes pas vraiment sûr de vous contrôler.

41. Ne vous inscrivez pas dans un club de santé fantaisiste

Un nombre croissant de clubs qui avancent les bienfaits de telle ou telle technique de « mise en forme » fleurit actuellement. Si vous vous embarquez dans l'une de ces aventures, faites attention à ne pas partir avec trop d'enthousiasme car celui-ci, comme toutes les bonnes choses, a, hélas, rapidement une fin et vous risqueriez d'en être quitte pour rester sur votre faim.

42. Évitez les schémas diététiques

Si, lors d'une soirée, quelqu'un essaie de vous faire inscrire à l'Institut de relaxation de M. X..., vous le prendrez pour un fou. Mais comment faire quand c'est tante Suzie qui vous rend visite le jour de la Toussaint avec un nouveau régime loufoque qui lui donne l'air d'une dinde ? Vous commencez à prendre des notes sur les menus à base de pastèques et de raifort que vous êtes prêt à suivre comme si c'était le Saint-Graal.

Votre refrain doit être : « Ma route est mon seul chemin. » Tout le monde a toujours une méthode originale à proposer qui aide tellement vite à perdre pour toujours ces dix kilos superflus. Je puis vous assurer que si vous les perdez aussi rapidement, ce ne sera pas pour toujours.

Faites-vous une fleur. Vous avez déjà dépensé de l'argent en achetant ce livre. Suivez-en les conseils. Cela va marcher. Aussi, dès que vous reverrez la tante Suzie, si elle n'est pas déjà au ciel en ayant attrapé le botulisme grâce à son régime à base de protéines en conserve, prêtez-lui (ou mieux faites-lui acheter) ce livre pour qu'elle puisse commencer à perdre le poids qu'elle a repris depuis votre dernière rencontre.

43. Souvenez-vous qu'un régime n'est pas une punition

Il n'est pas particulièrement passionnant d'avoir à noter le nombre de calories qu'on mange et de continuer à faire de l'exercice. Mais réfléchissez aux autres possibilités. Aimez-vous avoir la vue de vos orteils bouchée par votre ventre quand vous êtes au lit ? Quand on est allongé, on peut plus facilement évaluer combien on a de kilos en trop. En effet, dans cette position, la graisse, en général, se répartit d'une façon très égale. Dès que je n'arrivais plus à localiser les os de mes hanches, couchée sur le dos, je savais que ça allait mal. Ne vous faites pas autant de souci parce que vous êtes au régime. N'oubliez pas que vous avez vraiment pris du bon temps avant de vous y mettre. Essayez de penser à ce régime comme à un acte positif et non comme à quelque chose que vous devez subir. Soyez fier de vous et pensez au plaisir que vous éprouverez quand vous serez mince.

44. N'écoutez pas votre mère

La personne qui vous a fait croire au père Noël, que les bébés étaient amenés par des cigognes, que vous étiez la plus jolie fille du pays, va maintenant vous dire que vous avez trop maigri. Ne la croyez pas. Malheureusement, les mamans pleines de bonnes intentions, tout comme les meilleures amies ou les conjoints dévoués, mettent longtemps avant de s'habituer à vous voir sous un jour différent. Donnez-leur le temps de s'habituer à cette nouvelle personnalité. Il arrive effectivement parfois qu'on suive un régime trop sévère mais avec notre programme — et en particulier au moment où l'on ajoute des calories — vous mangerez exactement ce qu'il faut et vous atteindrez le poids qui vous va bien et où vous êtes en bonne santé.

TROISIÈME PARTIE

DERNIERS CONSEILS

14.

LE GRIGNOTAGE

Est-ce que vous ne pensez qu'à manger ? Essayez ce test d'associations de mots et vous aurez la réponse :

— *tonsillectomie :* **a)** intervention chirurgicale ; **b)** glace.
— *pique-nique :* **a)** fourmis ; **b)** salade de pommes de terre.
— *mariage :* **a)** marié(e) ; **b)** gâteau.
— *Ronald Reagan :* **a)** Washington ; **b)** bonbons.
— *romance :* **a)** Valentine ; **b)** chocolat.
— *cirque :* **a)** clown ; **b)** barbe-à-papa.
— *virilité :* **a)** Warren Beatty ; **b)** huîtres.
— *maman :* **a)** papa ; **b)** tarte aux pommes.
— *papa :* **a)** maman ; **b)** soda.
— *maladie :* **a)** médecin ; **b)** bouillon de poule.

Le cocktail le plus riche au monde : le lait de poule avec 300 calories environ pour 12,5 centilitres.

Méfiez-vous, au cours des réceptions, des hors-d'œuvre. Un petit écart peut vous conduire à ingérer autant de calories que si vous aviez mangé un repas complet. Regardez le tableau de calories suivant, avant de vous précipiter sur le plateau de petits fours :

Trois tranches de pain de mie	228
avec	
20 g de crabe	20
1/2 œuf dur	38
5 g de mayonnaise (fraîche)	35
25 g de cacahuètes salées	136
25 g d'olives	145
Total	502

Même si c'est une fête qui ne revient qu'une fois par an, c'en est terminé pour vous, si vous grignotez ces mets « occasionnels ». Cela peut arriver pour un anniversaire, un pot dans votre société, une soirée de fiançailles... L'heureux fêté peut être tout à coup très misérable le lendemain en pensant simplement à sa façon de célébrer l'événement. Lisez le tableau de calories ci-dessous avant d'en prendre une bouchée :

1/4 de litre de champagne	164
30 g de brie	78
1 biscotte	30
30 g de biscuits au fromage	158
3 rondelles de saucisson	168
1 portion de glace à la vanille	145
1 morceau de quatre-quarts avec glaçage au chocolat	163
Total	906

(C'est la faute des Suisses puisqu'ils ont inventé le chocolat au lait en 1876 !)

Le révérend Sylvester W. Graham (à qui l'on doit une marque de crackers) était un prêcheur à la sauvette et un gourmet persuadé que le poivre, la moutarde et le ketchup sont des hérésies pures et simples. Je n'irai pas aussi loin, le poivre est une épice respectable. De fait, certaines sortes de poivre rouge contiennent plus de vitamines C au gramme que n'importe quel fruit ou légume.

Bien qu'une pincée de poivre noir ne dispense pas une grande quantité de vitamines, cela rajoute du goût aux aliments, avec très peu de calories.

La moutarde est un mélange de grains ou de poudre de moutarde et d'autres épices dans de l'eau, du vin ou du vinaigre. Cet ingrédient contient 4 calories par cuillerée à dessert. Le ketchup compte environ 20 calories par cuillerée à soupe, selon les marques, calories dues non au composant principal (la tomate), mais à la teneur en sucre. Certains ketchups sont faits d'un tiers à un quart de sucre...

Le légume d'accompagnement préféré de tous est la pomme de terre frite. Dix frites seulement fournissent environ 156 calories. Qui donc en mange seulement dix ?

Les cacahuètes sont nutritives mais font grossir. 25 grammes de cacahuètes salées correspondent à 100 calories environ et à plus de 10 grammes de graisse, presque le quart de ce que le régime autorise par jour.

Le sucre et les noisettes constituent un double piège ; attention, ne vous laissez pas avoir. On a neuf mille papilles gustatives sur la langue. La Nature a bien fait les choses en les plaçant à cet endroit : celles de la pointe reconnaissent le goût du sucré, celles des bords celui du salé. Les papilles qui détectent l'acidité sont situées beaucoup plus loin sur les côtés ; l'amertume est décelée en arrière. Ce sont les quatre goûts principaux avec des nuances entre eux.

Avant qu'il ne soit sur la pointe de la langue, reconsidérez le menu de votre petit déjeuner : avez-vous réellement envie de ce pain au chocolat (plus de 200 calories) ?

Je déteste devoir le reconnaître mais la pizza ne contient pas seulement des calories « neutres ». C'est un plat particulièrement nutritif. Les experts disent que pour une nourriture rapide c'est assez bien équilibré avec des protéines, des hydrates de carbone, des lipides, de la vitamine A et quelques sels minéraux. Pourtant, un morceau de 217 calories contient environ 27 % de graisse.

Plus la pâte est épaisse, plus il y a d'anchois ou de thon, plus la teneur en calories et en graisse est élevée. Les pizzas sont de bons casse-croûte pour un adolescent en pleine croissance, mais pour vous et moi, c'est un vrai repas.

A propos des *fast foods :* je n'ai pas grandi avec des hamburgers ou des cheese-burgers et vous non plus probablement. Certes, les cafétérias ou les pizzerias existaient ici et là, mais il n'y en avait pas autant que de nos jours, à chaque coin de rue.

Ces endroits sont agréables de temps à autre et rendent plus facilement service que les restaurants conventionnels. Leur type de nourriture est riche en protéines mais aussi en graisses et en sel ; quant aux boissons qui y sont servies, elles sont pleines de sucre.

Les menus proposés dans les *fast foods* sont pauvres en légumes verts ou en fruits frais et n'en proposent parfois même aucun. Ne vous attendez pas à y trouver des casse-croûte à faible teneur calorique. Même des plats qui ont l'air d'être faits pour un régime tels qu'une « salade du chef » peuvent contenir à eux seuls au moins 800 calories et donc bien plus que ce qu'il y a dans un sandwich au fromage.

Voici quatorze bonnes raisons de grignoter que vous ne devriez jamais plus invoquer :

— vous avez des soucis ;

— c'est toujours la même période du mois où cela vous arrive ;

— vous vous sentez seul ;

— vous venez de vous quereller avec votre mari, votre mère, votre fille...

— vous avez tout le temps pour faire votre régime après ;

— vous êtes frustré ;

— vous vous ennuyez ;

— vous êtes nerveux ;

— vous ne voulez pas gâcher ce que d'autres ont laissé ;

— vous traversez une période de crise ;

— c'est de la nourriture saine, cela ne peut être que bon pour vous ;

— vous avez besoin de vous remonter ;

— vous êtes heureux ;

— c'est comme ça.

En revanche, inventez-vous des en-cas plus attrayants que ceux que vous vous octroyez dans la réalité.

Interrogée à ce propos par un journal féminin, une de nos grandes stars répondit : « Quand j'ai une fringale de fromage blanc, je m'imagine que c'est de la mousse au chocolat ! »

Enfin, le dernier et le plus gros mensonge : une seule taille va à tout le monde.

15.

QUESTIONS ET RÉPONSES

Quelle différence y a-t-il entre les aliments à basses calories et ceux à teneur calorique réduite ? Comment savoir si tel poisson est plus gras que tel autre avant de l'avoir seulement goûté ?

Voici les réponses à des questions de ce genre et à d'autres que vous vous posez certainement.

Q : A l'aide ! J'aimais tellement les régimes qui m'autorisaient à manger toute la viande que je voulais. Maintenant on me conseille de ne prendre que 120 grammes de steak. Ce n'est pas assez, comment faire ?

R : Une côte de bœuf grillée d'une demi-livre contient 545 calories. Pas plus. Malheureusement, il semblerait qu'un régime à haute teneur protéique et lipidique soit un facteur de risque de survenue d'un cancer au moins aussi important que le tabac. Ceci m'a été expliqué par un nutritionniste de l'université de Cornell.

Nous consommons près de la moitié de nos calories sous forme de graisses. L'idéal serait, d'après les résultats de certains travaux, de réduire de 50 à 65 % son apport calorique sous forme de glucides, de 15 à 20 % l'apport sous forme de protéines et de 20 à 30 % celui sous forme de lipides. Dès que la quantité de ces derniers dépasse 35 %, il existe un risque accru de cancer du côlon, de la prostate, du sein.

L'équilibre nutritionnel recommandé pour faire décroître le risque cancéreux est identique à celui qui a été associé à une réduction de la fréquence des maladies cardio-vasculaires et du diabète.

Cela devrait vous empêcher de faire de la viande l'élément essentiel de votre alimentation — que vous essayez ou non de vous restreindre. Vous mangez de la viande bien plus que nécessaire et il faut vous éduquer à contrôler votre consommation. Ce n'est pas à elle à avoir emprise sur vous.

Q : D'accord. Je sais maintenant que je dois limiter la quantité de bœuf que je mange. Ne devrais-je pas plutôt acheter des morceaux plus chers ? Ne contiennent-ils pas moins de graisses que les bas morceaux ?

R : Pas du tout. Plus le bœuf est cher, plus il contient des graisses et les résultats iront à l'opposé de ce que vous souhaitez. Meilleur est le morceau, plus forte est la proportion de gras. Ainsi on peut, *grosso modo,* dire que le filet est constitué de 40 à 50 % de graisses ; le premier choix, de 35 à 40 % ; le second choix, de 25 à 30 %.

Le beefsteak haché devrait légalement contenir environ 30 à 35 % de graisses. A la cuisson, beaucoup de gras s'en échappe. Faites-le donc cuire sur le gril afin de laisser la graisse s'égoutter.

Le paleron ou le cimier sont en général des morceaux maigres avec environ 20 à 25 % de graisses.

Les pièces « extra-maigres » — de 15 à 20 % de graisses — sont votre meilleur achat. Vous perdrez moins de volume puisqu'il y aura moins de graisses à fondre.

Quand vous préparez de la viande de bœuf pour toute la famille, choisissez plutôt du paleron, du cimier ou du gîte. Ceux-ci sont généralement moins saturés en graisses que l'entrecôte, le faux-filet ou le filet.

Q : Les poissons sont-ils tous faiblement caloriques ?

R : On ne considère pas seulement s'il s'agit d'un

poisson d'eau douce ou d'eau salée, mais aussi (parmi d'autres qualités) on tient compte de sa taille, de sa forme et de sa teneur en graisses. En général, on peut d'un seul coup d'œil évaluer cette dernière : plus la chair est foncée, plus elle est grasse.

Un poisson gras doit être de préférence grillé ou rôti pour éliminer le surplus de graisses. On a l'habitude de préparer le poisson maigre avec de l'huile ou du beurre — cela augmente le nombre de calories contenues dans le plat et le résultat est alors le même que celui obtenu avec un poisson plus gras mais grillé. En règle générale, il vaut donc mieux griller le poisson ou le faire cuire à la vapeur.

Voici quelques exemples du nombre de calories par 100 grammes contenues dans certains poissons (non cuits) : saumon de l'Atlantique : 217 calories ; truite arc-en-ciel : 195 calories ; alose : 170 calories ; maquereau : 159 calories ; thon : 145 calories.

Une remarque qui peut très bien se glisser au cours d'un dîner : la queue de poisson a plus de goût mais sa chair est moins tendre que les autres morceaux, parce qu'elle participe activement à la motilité de l'animal.

Q : *Les pâtes, les pommes de terre et le pain devraient-ils être complètement supprimés pendant un régime ?*

R : On vous a inutilement mis en garde contre tous les hydrates de carbone. Ceux-ci existent sous deux formes.

La première est représentée par les sucres purs qui sont absorbés immédiatement et passent dans le sang en un minimum d'étapes pour couvrir les besoins énergétiques instantanés. Lorsque ces derniers ont été satisfaits, on a quand même encore besoin d'énergie.

On puise celle-ci dans les autres hydrates de carbone : les féculents. Ce sont tout simplement des sucres complexes métabolisés plus lentement que les sucres purs. Le catabolisme (la destruction) des féculents permet de lutter contre la fatigue. Lorsque l'organisme est à court d'hydrates de carbone, il commence alors à détruire son muscle (protéines) pour obtenir des sucres purs. C'est cela qu'il faut éviter.

Q : Le lait condensé et le lait en poudre sont-ils équivalents ?

R : Certainement pas ! Il y a 64 calories dans une cuillerée à soupe de lait condensé à cause du sucre. Il y en a 22 dans celle de lait en poudre, 9 dans le lait entier (avec environ 3 % de lipides) et 5 dans le lait écrémé. Certains trouvent que le lait en poudre a plus de goût que le lait écrémé. Après tout, vous pouvez essayer.

Q : Pourquoi les fèves donnent-elles des gaz ?

R : Certains hydrates de carbone sont difficiles à digérer. Lorsqu'ils atteignent l'intestin, la matière non encore digérée fermente au contact des bactéries intestinales et c'est ce qui déclenche les gaz. Ce sont les fèves auxquelles revient l'honneur équivoque d'être à l'origine de ce phénomène. Quelques autres coupables secondaires : le chou, les épinards, le raisin, les céréales et parfois même un « innocent » jus de pomme. Mais évidemment vous pouvez vous plaindre de ce désagrément quel que soit l'aliment que vous avez mangé avant !

Q : Si je fais de l'exercice une heure par jour, faut-il aussi réduire mes calories ?

R : Farah Fawcett a dit, un jour, que depuis qu'elle se dépense physiquement, elle peut manger tout ce qu'elle veut. Si vous suivez mon régime, vous pourrez, vous aussi, un jour manger comme Farah, mais je ne peux pas vous garantir que vous lui ressemblerez.

Si vous venez seulement de commencer mon programme, laissez-moi dire que l'exercice sans la restriction calorique peut *éventuellement* vous faire perdre du poids.

Le mot clé est *éventuellement*. Je ne connais personne qui suive un régime en voulant maigrir lentement. Alors diminuez vos calories tout en faisant du sport et vous atteindrez votre but beaucoup plus vite.

Q : *Combien de temps dois-je m'entraîner avant de me mettre à brûler vraiment mes graisses et non à perdre simplement de l'eau en transpirant ?*

R : Manifestement, quand vous faites un exercice vigoureusement, vous commencez à transpirer, et cela pour la même raison que lorsqu'il fait chaud : pour abaisser la température du corps. Après environ quinze minutes d'entraînement, si on fait vraiment un effort, on commence à transpirer. Après une demi-heure ou trois quarts d'heure, on se met à utiliser la graisse de l'organisme comme énergie.

Autre question qui vous intéresse peut-être : chez la femme, le poids moyen du cerveau est de 1 300 grammes et chez l'homme, d'environ 1 400 grammes. Quand on n'a aucune activité physique, le cerveau consomme 66 % du glucose présent dans l'organisme tandis que les muscles se partagent le reste. Ainsi le contenu de votre ridicule boîte crânienne est bien plus glouton que votre masse de muscles tout entière !

16.

DES RÊVES A LA RÉALITÉ

Il existe un vieil adage qui dit que les orages font tourner le lait. C'est vrai, à la seule condition que la tempête s'accompagne d'une panne d'électricité privant de courant votre réfrigérateur avec le lait à l'intérieur ! D'autres mythes au sujet de la nourriture (et du corps) doivent être dénoncés.

Rêve : le pamplemousse et l'ananas brûlent les graisses de l'organisme.

Réalité : depuis des années, le pamplemousse a été le principal ingrédient d'une multitude de « régimes miracles ». Certes c'est un aliment agréable qui contient peu de calories et beaucoup de vitamine C, mais il ne brûle pas les graisses. C'est la même chose pour l'ananas. Aucun aliment possédant cette propriété n'a encore été découvert. Si un tel événement se produisait, j'achèterais toute la production.

Rêve : les bananes font grossir.

Réalité : en comparaison de la pomme et de l'orange, la banane est plus sucrée : une banane mûre contient environ 21 % de sucre, une pomme 14 % et une orange 12 %. Pourtant une banane de taille moyenne équivaut seulement à 85 calories. Une pomme atteint en moyenne 80 calories et une orange aussi.

Cette banane moyenne contient 1,1 gramme de protéines, beaucoup de potassium, mais absolument pas de cholestérol — c'est donc excellent pour le cœur. Les bananes ont de plus un très léger effet laxatif — les fibres et les pectines de ce fruit sont efficaces au cours de la constipation rebelle. Il faut environ trois heures pour digérer une banane.

Au cas où vous vous demandiez s'il existe quelque part des fanas de la banane, la réponse est oui ! Les natifs de Buganda en Ouganda sont des purs et durs. Ils consomment en moyenne neuf livres de bananes par habitant et par jour, ce qui équivaut à peu près à deux bananes et demie par heure de marche !

Rêve : les aliments dits « sans sucre » sont moins caloriques que ceux qui en contiennent.

Réalité : cela n'est pas aussi simple. « Sans sucre » signifie simplement qu'il n'y a pas de sucre dans le produit — le fabricant a bien attiré votre attention là-dessus. Cependant, cela ne veut pas dire que ce que vous achetez n'est pas enrichi d'autres douceurs, aussi, voire plus, caloriques que le sucre lui-même. Tout ce qui est parfumé au miel peut être plus calorique que ce qui est sucré normalement, il y a plus de calories dans une cuillerée à dessert de miel que dans une cuillerée à dessert de sucre.

Rêve : la margarine contient moins de calories que le beurre.

Réalité : légalement, le beurre doit avoir 80 % de teneur en graisse. La même loi s'applique aux margarines : elles doivent être faites de 80 % de graisse. Cependant la margarine ne possède habituellement pas de cholestérol, puisqu'elle n'est pas faite de graisses saturées (comme le lard) mais d'huiles végétales.

Là est le piège. Les huiles végétales insaturées deviennent saturées lorsqu'elles sont hydrogénées ou partiellement hydrogénées. Vous gagnez environ 100 calories à chaque cuillerée à dessert de beurre ou de margarine.

Les margarines ou les beurres de régime contiennent moins de graisse et plus d'eau et sont donc moins caloriques. Les margarines de régime sont constituées d'environ 40 % de graisse et contiennent 55 calories par cuillerée à dessert.

Rêve : les aliments comme le céleri ou la pomme ont des « calories négatives » grâce à l'énergie consommée pour les mâcher et les digérer.

Réalité : une calorie est égale à une calorie qui est toujours égale à une calorie, que vous mangiez une pomme ou un baba au rhum ! Une personne de gabarit moyen utilise seulement 0,3 calorie par minute en mangeant. Cela signifie qu'un brin de céleri de 5 calories devra être mastiqué pendant un minimum de soixante-dix minutes pour n'avoir plus aucune valeur calorique. Je suppose que vous avez mieux à faire !

Rêve : le soja est un substitut de la viande.

Réalité : seulement de réputation. Comme la plupart des légumes, le soja est rempli d'eau. De fait, le soja contient 93 % d'eau. Il y a aussi 4 % de glucides dans ce légume.

Néanmoins, le soja possède des propriétés physiques qui le rendent facile d'emploi. Il peut être coupé en « steaks » et cuit sans se détacher — sous un œil attentif. Enfin il se comporte comme un buvard et absorbe l'huile tout en perdant son eau.

Une demi-tasse de soja, cuit sans huile, contient seulement 38 calories et 2 grammes de protides. Lorsqu'on rajoute du fromage et de la graisse, il ne faut pas s'étonner si le compteur de calories s'emballe. Ne blâmez pas le soja !

Rêve : l'estomac rétrécit au fur et à mesure du régime.

Réalité : quand on réussit un régime, on s'habitue à manger de moins grandes quantités. L'estomac est toujours de la même taille.

17.

LE SAVIEZ-VOUS ?

Thomas Jefferson, troisième président des États-Unis, a importé en Amérique le riz, le moule à gaufre, le daim du Bengale, les macaronis, le vin français, les glaces à la crème, la moutarde, le parmesan, la vanille, l'huile d'olive, les asperges et les brocolis. Il y a sûrement d'autres anecdotes au sujet de la nourriture, de l'obésité et de l'exercice physique qui risquent de vous étonner. Par exemple, saviez-vous que...

Le blanc de dinde et la cuisse de poulet rôtis ont la même valeur calorique (150 calories pour 100 grammes). En revanche, la cuisse de dinde contient environ 40 % de graisse en plus.

Le bacon canadien est moins calorique et moins gras que l'américain, mais de 30 à 40 % plus salé.

Les artichauts, riches en potassium et en fer, correspondent à 44 calories par légume (le cœur et les extrémités des feuilles inclus). Si vous aimez seulement le cœur, laissez tomber ceux qui baignent dans l'huile, et rendez-vous tout droit au rayon légumes ou conserves. Les artichauts congelés ou frais, sans huile, ont seulement 26 calories aux 100 grammes ! Préparez-les avec un peu de salade. Autre avantage : ils sont particulièrement riches en fibres.

Le thon au naturel est composé d'environ 20 % de protides de plus que le thon à l'huile. Le thon vous apporte quatre fois plus d'enzymes, utilisées dans la digestion de l'amidon et du sucre, que la viande de bœuf. De même ce poisson comporte au moins un quart de vitamine B12 de plus que le steak. La vitamine B12 est utile au transport de l'oxygène sanguin ce qui facilite l'exercice physique.

Les cacahuètes grillées sont à peu près aussi caloriques que les cacahuètes cuites à l'huile. C'est-à-dire extrêmement...

Si vous cuisinez avec du yaourt à 0 % de matière grasse au lieu de crème fraîche, vous gagnez au moins 300 calories par tasse.

Le rumsteak est moins calorique et moins gras que l'épaule d'agneau. Pour 100 grammes d'agneau : 300 calories, 16 grammes de protides et 24 grammes de lipides. Pour 100 grammes de bœuf : 200 calories, 20 grammes de protides, 12 grammes de lipides.

Vous pensez peut-être économiser quantité de calories en consommant des sorbets plutôt que des glaces à la crème. C'est faux. Si vous ingérez moins de graisse dans les sorbets, vous ingérez plus de sucre. Une demi-tasse de sorbet équivaut environ à 120-150 calories en fonction de l'arôme et de la marque.

Avec une trentaine de calories pour 10 grammes, le miel est pratiquement aussi riche que le sucre pur (40 calories pour 10 grammes).

Certains fromages faiblement salés exceptés, la majorité de ceux-ci a une forte teneur en sel. Comment ce sel y est parvenu ? Non seulement on l'utilise avec d'autres composés pour donner du goût, mais aussi pour contrôler l'acidité et empêcher la prolifération bactérienne. Certains fromages pasteurisés sont particulièrement riches en sodium — jusqu'à 490 milligrammes pour 30 grammes.

Les légumes cuits à la vapeur sont plus nutritifs que les

légumes bouillis. Malheureusement cela demande plus de temps : la vapeur ne conduit pas aussi bien la chaleur que l'eau. Comme d'habitude, la patience est une vertu : vous retirerez plus d'avantages de la cuisson à la vapeur.

Les fromages pasteurisés sont plus gras (50 % de matière grasse). Ainsi le brie fermier compte 40 % de matière grasse, et pasteurisé, 50 %.

Il ne faut pas confondre bouillon et consommé, bien qu'ils aient la même valeur calorique. Le bouillon est un liquide dans lequel ont cuit soit de la viande soit des légumes. C'est une soupe assez légère et peu salée. En revanche le consommé, qui est fait, le plus souvent, à partir de deux types de viande, est beaucoup plus salé. On compte environ 23 calories par tasse de bouillon ou de consommé de bœuf et 22 calories par tasse de bouillon ou de consommé de poulet. Faites attention aux préparations du commerce, elles sont plutôt salées.

Le lait et les produits laitiers ne constituent pas les seules sources de calcium. Le chou et les brocolis en contiennent pas mal aussi. Le calcium est très important pour les femmes d'âge mûr, lorsque celles-ci deviennent candidates à l'ostéoporose.

Il y a environ 88 calories dans trente pistaches et 280 dans trente noix de cajou.

Lorsque vous voyez la mention « fibres diététiques » sur un produit contenant des céréales, sachez qu'il s'agit de fibres de bois ! Cela ne vous rendra pas malade, mais vous n'en avez aucunement besoin. Il n'en est pas de même pour les fibres provenant des fruits. De nombreux médecins en recommandent une consommation élevée, car on a démontré qu'elles régularisent le transit intestinal et peuvent faire décroître le risque de cancer du côlon.

Sept biscottes, à raison de vingt calories chacune, contiennent autant de calories qu'un quart de litre de glace au chocolat.

Ce que vous avez peut-être appris sur la forte teneur en

vitamine A des légumes rouges ou jaunes n'est pas valable pour les betteraves ou les radis. Une grosse carotte comporte environ six cent cinquante fois plus de vitamines A que deux betteraves de taille moyenne et onze mille fois plus qu'une dizaine de radis. Les betteraves contiennent, par ailleurs, peu de protides, peu de vitamines et de fer. Pour elles ne jouent que le goût et la couleur ! Les radis ont une faible teneur en nutriments. Ils n'ont d'intéressant que leur goût particulièrement fort et leur faible teneur calorique. Dans dix radis, il y a une vingtaine de calories.

Les poules, dindes et poulets élevés au grain et de petite taille sont moins gras que ceux de poids plus élevé.

La plupart des pastilles de menthe sans sucre contiennent environ 8 calories chaque, les Tic-Tac seulement une et demie.

Il y a plus de 300 calories dans un verre de manhattan ou dans un demi de bière. Cela fait pratiquement un tiers de la ration alimentaire journalière d'un régime à 1 000 calories.

Un hamburger est moins calorique qu'un hot-dog. De plus, on y trouve plus de viande et moins de nitrates. Attention quand même aux hamburgers géants qui sont particulièrement nutritifs.

Il faut compter plus de 100 calories pour 30 grammes de fromage de cheddar. Si vous avez toujours cru que les fromages forts étaient plus riches en protides que les autres, apprenez que c'était une erreur. Ceux-ci ne comportent que 25 % de protides, le reste est fait de matières grasses.

On consomme plus de protéines comestibles dans la dinde que dans le poulet ou le canard (46 % dans la dinde, 41 % dans le poulet et 22 % dans le canard). Voici donc une raison supplémentaire de ne pas attendre Noël pour manger ce volatile.

Tous les fromages fondus ne sont pas entièrement faits

de fromage. Certains ont jusqu'à 44 % de lait ou d'eau. On y ajoute aussi parfois des gélifiants, des arômes ou des colorants. Ils contiennent près de 100 calories pour 30 grammes.

Si vous êtes trop gros, vous avez peu de chance de passer à la télévision un jour. Un journaliste du *New York Times* avait fait remarquer dans un article qu'il y avait proportionnellement plus de gens de poids normal dans cette boîte que dans la vie courante. En 1979, une étude a révélé qu'à la télévision américaine seulement 2 % des femmes et 6 % des hommes sont gras.

Les vibromasseurs amincissants sont aussi peu efficaces qu'une ceinture. Il faut absolument faire travailler les muscles et dépenser de l'énergie pour perdre de la graisse. Ce n'est pas une machine qui peut le faire à votre place. C'est à vous de vous secouer et non à un appareil.

Sans commentaires : « On trouve quelques compensations à être une femme forte. Les hommes nous fichent la paix et les femmes ne nous craignent pas. » C'est ce que prétendait Elsa Maxwell [1] dans son autobiographie !

---

1. Elsa Maxwell, journaliste américaine très célèbre par son poids et sa langue acérée.

18.

CE QU'IL FAUT ÉVITER DE PORTER A LA BOUCHE

Le beurre

Bien sûr, je sais ce que vous pensez. Tout le monde sait que le beurre est dangereux quand on fait un régime amaigrissant. Mais on ignore toujours à quel point : 100 calories dans une seule cuillerée à soupe. C'est une graisse saturée et pour cause ! (Voir les informations complémentaires aux pages suivantes.) Ces calories comptent deux fois plus que celles contenues dans le sucre, trois fois plus que celles du pain et dix fois plus que celles des pommes de terre.

Cela n'est pas une raison suffisante pour le placer en tête des produits dangereux. Prenez l'exemple du fromage fondu : malheureusement cet aliment ne se marie pas aussi bien que le beurre avec n'importe quoi. Je ne m'étais jamais aperçue de la quantité astronomique de beurre que je consommais jusqu'à ce que mon mari en fasse le compte à ma place. Il sortait un paquet de beurre frais entier à chaque petit déjeuner. Je devais m'en tartiner au moins une montagne ! (J'étais, bien sûr, déjà au régime.) J'en mettais un peu sur mes légumes et beaucoup sur mon poisson bouilli. Le soir, j'en avais mangé au moins 75 grammes, ce qui équivaut environ à 530 calories. Ma ration quotidienne de 1 200 calories passait vite ainsi à 1 730 calories.

Quelques conseils utiles

Utilisez de la margarine ou du beurre fouettés. Cela s'étale mieux et on en consomme moins.

Vos tartines doivent être froides de préférence quand vous les beurrez. Sinon elles absorbent le beurre et vous n'en mettez que plus.

Fouettez vous-même votre margarine. Pour en faire deux livres, battez lentement deux tasses de lait en poudre entier ou écrémé, petit à petit, avec une livre de beurre. Mettez le mélange dans un bol et refroidissez le tout.

« Graisses folies »

Le beurre entre dans sa propre catégorie, parce que c'est un aliment dont on abuse facilement. Le beurre est une graisse à part entière, mais il y en a d'autres que l'on déguste avec un abandon égal : les noix, la charcuterie, la crème et les sauces à la crème... On en trouve aussi dans la viande, la peau des volailles, les produits laitiers, les huiles d'assaisonnement (qui ne représentent rien ou presque rien...). Nous consommons à peu près sept cuillerées à soupe de lipides par jour. Nous n'en avons besoin, en fait, que d'une seule pour nous maintenir en bonne santé.

Sans graisse, nous serions tristes. Cela nous est nécessaire pour notre équilibre sexuel et pour éviter à notre peau de se dessécher. Sans apport lipidique, on ne pourrait pas absorber les vitamines A, E, D et K qui sont liposolubles.

Certes la graisse, en elle-même, n'est pas mauvaise, mais il faut faire attention à sa qualité. Certaines espèces sont des amies tandis que d'autres sont nos ennemies.

Les graisses saturées sont dangereuses. Un bon truc pour les reconnaître : elles sont solidifiées à la température ambiante. Celle contenue dans le bœuf en est un exemple.

Dans le royaume des légumes, en revanche, la plupart sont insaturées, noix de coco et huile de palme mises à part. (On trouve ces deux dernières dans certains gâteaux, crèmes glacées ou entremets.)

Les graisses polyinsaturées sont habituellement liquides et le plus souvent d'origine végétale. Les huiles d'arachide, de tournesol, de maïs, ou de soja sont très riches en graisses polyinsaturées. Ce sont de bonnes amies.

Les graisses monosaturées, entre les deux, ne sont ni bonnes ni mauvaises. L'huile d'olive est monosaturée.

Il est important de bien connaître les graisses pour deux raisons : d'une part ce sont les aliments les plus riches en calories (9 calories par gramme) et d'autre part leur forme saturée peut faire monter votre taux de cholestérol sanguin (vous en apprendrez encore un peu plus à ce sujet dans les pages suivantes).

Si vous avez vraiment envie de faire des folies pour des graisses, c'est parce que vous aimez leur goût et que cela vous remonte le moral. Elles rôdent partout dans chaque repas. Mangez seulement 30 grammes de bacon et vous aurez ainsi ingurgité déjà plus de 100 calories, 30 grammes de porc — et plus de 200 calories. Vous ne raffolez peut-être pas des abats, mais par contre vous ne crachez pas sur le pâté, sachez que chaque pâté contient un nombre divers d'ingrédients à forte teneur lipidique passant par foies de volaille et de porc, crème, jaunes d'œuf, farine, cognac et parfois même noix... Les seuls composés à faible teneur lipidique sont les épices. C'est pourquoi on trouve environ 69 calories et 6 grammes de lipides dans une seule cuillerée à soupe de pâté.

Si vous estimez intelligent de prendre une moitié d'avocat à la place d'un repas complet, sachez que non seulement vous mangez un mets qui comporte 75 % de graisses, mais aussi que vous ajoutez à votre ration alimentaire environ 170 calories d'un seul coup.

Quelques conseils utiles

Diminuez votre quantité de friture, voire cessez complètement d'en consommer.

Évitez les assaisonnements à base d'huile. Utilisez plutôt du citron et des épices.

Évitez les potages à la crème.

Faites cuire à la vapeur, bouillir ou pocher le poisson et la volaille. Évitez le canard et l'oie qui sont particulièrement gras. Ne mangez pas la peau du poulet.

Enlevez à la viande les morceaux gras et achetez des morceaux qui soient le plus possible maigres.

Investissez dans quelques casseroles et cocottes. Si ce que vous faites cuire nécessite un peu d'huile, mettez une seule goutte d'huile polyinsaturée.

Restreignez-vous et évitez, si vous pouvez, tous les fruits oléagineux tels les cacahuètes ou le chocolat qui sont riches en graisses saturées.

N'employez que des fromages maigres (environ à 20 % de matière grasse) et tous les produits laitiers maigres comme le lait écrémé, le yaourt à 0 % et le beurre de régime.

Le cholestérol

Qu'est-ce exactement que le cholestérol et pourquoi en entendons-nous tellement parler ? Le cholestérol est essentiel à l'être vivant. Nous n'avons pas besoin de manger des aliments remplis de cholestérol — le foie en brasse environ 1 000 milligrammes par jour à lui tout seul. Parmi toutes ses propriétés, le cholestérol renforce les membranes des cellules et participe à la synthèse des hormones sexuelles. Votre foie ne risque pas d'en produire en excès, mais si vous vous mettez à en consommer plus que la normale par votre alimentation, vous risquez d'avoir quelques problèmes.

Il existe des preuves scientifiques de la culpabilité des

graisses saturées et du cholestérol dans la survenue des accidents cardio-vasculaires. J'imagine que vous n'avez absolument pas envie d'avoir les vaisseaux sanguins bouchés. Il est supposé que les graisses saturées élèvent le taux de cholestérol sanguin tandis que les graisses insaturées le réduisent (les graisses monosaturées n'ont aucun effet sur ce taux).

Le cholestérol est transporté dans l'organisme par les lipoprotéines. Il existe plusieurs sortes de lipoprotéines : les lipoprotéines de faible densité (LDL), celles de très faible densité (VLDL) et celles de forte densité (HDL).

Les LDL et les VLDL permettent au cholestérol de circuler librement dans tout le corps. Bien que le flux sanguin contienne des cellules « épuratrices » qui évacuent le cholestérol en excès, de grandes quantités de cholestérol peuvent se coller à la paroi artérielle.

Pour empêcher ce processus, il faut avoir des lipoprotéines de type HDL. Celles-ci (qui sont augmentées avec l'exercice physique) arrachent le cholestérol de la paroi et le transportent jusqu'au foie. Le foie excrète le cholestérol sous forme de bile par les intestins.

Quels sont les aliments à teneur élevée en cholestérol ? Les œufs ont la plus forte concentration au gramme de tous les aliments. On en trouve aussi dans la viande, le lait entier, les abats, les sardines et les crevettes.

Quelques conseils utiles

L'Association américaine de cardiologie (American Heart Association) préconise une ration alimentaire quotidienne de cholestérol d'environ 300 milligrammes au maximum. Investissez dans un compteur de cholestérol et vérifiez combien vous en consommez exactement.

Limitez votre apport en œufs et en nourriture à base d'œufs. Il suffit de trois œufs par semaine.

Les œufs durs ont autant de cholestérol que les frais.

Faites la chasse aux produits comportant des œufs :

gâteaux, biscuits, mayonnaise, pâtes, soufflés, gaufres, crèmes renversées, sauce béarnaise, beignets, crêpes...

Restreignez votre ration de bœuf, porc, mouton et abats. Mangez plutôt du poisson maigre ou de la volaille.

Aucun commentaire (de peur d'être irrespectueuse !) : un des sandwiches favoris du sénateur Hubert Humphrey est, paraît-il, fait de beurre de cacahuètes, cheddar, laitue et mayonnaise, le tout sur une tartine beurrée... et nappé de ketchup !

Sel : le contrôle

Les fabricants sont légalement tenus d'inscrire le sel dans la composition des plats cuisinés, s'ils en ajoutent. Le piège, c'est qu'ils ne sont pas obligés de signaler la quantité exacte qu'ils mettent. Quelle fourberie !

J'ai, moi-même, été dupée quelque temps. Je croyais bien faire en ne salant jamais ce qui était préemballé ou en conserve. J'étais loin de savoir que dès que je mangeais un plat cuisiné, j'engloutissais une quantité de sel bien supérieure !

Je vais tout vous dire sur le sel... et le sel caché : la ration journalière en sodium recommandée est de 1 000 à 3 300 milligrammes pour un adulte. Dans le meilleur cas, on ne devrait pas, selon l'American Health Foundation, dépasser 2 000 milligrammes (soit deux grammes) par jour. Cela équivaut à une cuillerée à dessert à peu près. La plupart des Américains en consomment deux à quatre cuillerées par jour.

Sur le plan chimique, le sel se trouve sous forme de chlorure de sodium. Environ 40 % du sel sont constitués de sodium et c'est cette partie qui nous intéresse. En effet, une consommation élevée est retrouvée associée aux problèmes d'hypertension artérielle, rénaux ou vasculaires. Même si vous n'ajoutez pas de sel aux plats que vous achetez tout préparés, vous en absorbez une grande quantité.

Voici les mauvaises nouvelles ; on trouve du sel dans : les potages préparés (en sachet ou en boîte) ; les bouillons en cube ; la choucroute en boîte ; les hot-dogs nappés de moutarde ; les biscuits ; les conserves de légumes ; l'Alka-Seltzer et tous les comprimés effervescents, les laxatifs et même les somnifères...

Prenons l'exemple de l'eau minérale, l'eau plate, s'entend (pas l'eau gazéifiée). Dans certaines villes, l'eau est plus salée à cause des systèmes d'adoucissement. Tandis que calcium et magnésium sont supprimés, le sodium est ajouté.

Ne croyez pas que la sauce de soja soit une bonne alternative au problème du sel : deux cuillerées à dessert de cette sauce équivalent une demi-cuillerée de sel.

Que dire des substituts du sel ? Bien que le chlorure de potassium en reste le principal ingrédient, d'autres substances chimiques y sont associées, en particulier pour diminuer l'amertume et raviver le goût.

Les substituts du sel peuvent être consommés sans aucune contre-indication par les individus en bonne santé. En revanche ils peuvent être dangereux au cours de certaines maladies cardiaques ou rénales et il vaut donc mieux consulter un médecin avant de les utiliser dans un régime.

Maintenant que vous êtes un consommateur de sel averti, comment faire pour éviter d'en absorber ? La mention « sans sel » sur les étiquettes ne suffit pas. Lorsqu'on trouve les mots « sodium » (avec d'autres composés comme saccharine ou citrate) ou « saumure », le produit peut être sans sel, mais pas sans sodium.

Certains ingrédients comme le sel de céleri ou la levure de boulanger sont évidemment salés. Tous les mets marinés ou fumés sont très riches en sodium aussi bien que tout ce qui contient du glutamate de sodium qui relève le goût.

N'oubliez pas : plus vous consommez de sel, plus vous retenez l'eau dans votre organisme. A peine une cuillerée à dessert de sel peut faire prendre 500 grammes.

Quelques conseils utiles

Commencez à réduire votre ration de sel en utilisant des épices, des herbes et du citron à la place. Vous pouvez habituer votre goût à une moindre quantité de sel.

Renseignez-vous sur la teneur en sel de votre eau du robinet. Si celle-ci est trop élevée, investissez dans un filtre à sodium. Vous cuisinez et vous faites votre thé ou votre café avec cette eau.

Arrêtez votre consommation de plats cuisinés ou en conserve et prenez le temps de cuire des légumes frais.

Lisez toujours les étiquettes qui se trouvent sur les préemballés et les conserves. Lorsque l'un d'entre eux présente du sel dans sa composition, ne l'achetez pas ou limitez son emploi.

Sans commentaire : Marcel Cerdan, ce boxeur légendaire, aurait pu avaler une vingtaine de hot-dogs avant un match.

La caféine : la java des javas

En 1732, Jean-Sébastien Bach rendit hommage au grain tout-puissant en composant *La Cantate du café*. Talleyrand, amoureux du café, estimait que les qualités d'un breuvage parfait sont : « Noir comme le diable, brûlant comme l'enfer, pur comme un ange, doux comme l'amour. »

Peu importent la poésie et la musique. Si le café est béni parce que sans calories, il est maudit parce qu'il est riche en caféine. Malgré son manque de valeur nutritive, celui-ci inhibe l'absorption de la vitamine B et n'a donc rien de bon. Certes la caféine est un stimulant et accélère le métabolisme, mais par ailleurs elle peut entraîner des sautes d'humeur, des maux de tête, des tremblements. Elle peut aussi accélérer la respiration, les battements cardiaques et perturber les cycles du sommeil. Ce n'est pas tout ! La caféine est diurétique et augmente la sécrétion acide de l'estomac. Des recherches sont actuellement en cours sur l'existence d'une substance contenue dans le café et qui pourrait être à l'origine de tumeurs bénignes du sein et de malformations congénitales.

La plupart des thés ne regorgent pas de caféine, mais certaines variétés en contiennent plus que d'autres.

Attention aussi aux boissons à base de cola : une bouteille de 300 centilitres équivaut à environ un tiers ou une moitié d'une tasse de café (et ajoutez-y au moins huit cuillerées à dessert de sucre !). Même quand on a mal au crâne, en découvrant de telles surprises, il faut vérifier si les médicaments qu'on prend ne contiennent pas de caféine.

Une dose raisonnable de caféine correspond à 125 milligrammes par jour environ, c'est-à-dire une tasse à café. Les amateurs de café, à cette allure, en absorbent au moins 500 milligrammes par jour.

La quantité de caféine contenue dans le café, le thé, le cola et même le chocolat varie selon les procédés de fabrication et la façon de les préparer, par exemple : café du percolateur : en moyenne 110 milligrammes par tasse (de 97 milligrammes à 125 milligrammes) ; instantané décaféiné : 3 milligrammes par tasse ; thé Lipton : 54 milligrammes par tasse (pour un sachet) ; Coca-Cola : 65 milligrammes au quart de litre ; Pepsi-Cola : 36 milligrammes au quart de litre...

Quelques conseils utiles

Essayez de réduire votre consommation quotidienne de café à une tasse par jour, la même chose pour le thé.

Branchez-vous sur les cafés et les thés décaféinés.

Évitez les sodas à base de caféine. Remplacez-les par de l'eau gazeuse avec un zeste de citron. Vous ne risquerez pas la surcharge en caféine, ni en sucre.

Si vous avez envie de manger du chocolat, n'oubliez pas que, hormis les graisses et les calories, vous y trouverez aussi votre compte en caféine.

Le sucre : des informations pas si douces

Il y a quelques centaines d'années, on vendait le sucre dans les boutiques d'apothicaire. Le sucre était considéré plus comme un remède que comme un plaisir. Pour certains d'entre nous, véritables adeptes du sucre, c'est une drogue.

C'est tellement délicieux. Mais comme le disait un jour à la télévision une de nos actrices préférées : « Je ne sais pas pourquoi j'en mange. Je pourrais aussi bien l'appliquer directement sur mes cuisses ! » Une cuillerée à dessert de sucre ne fait, bien sûr, pas grossir, mais pour ceux d'entre nous qui en consomment d'une façon ou d'une autre au moins 500 calories par jour, c'est dangereux.

Il n'y a pas que le sucre blanc en poudre, il y a aussi le sirop, le miel, la mélasse, le fructose, le maltose, le lactose et pour la cuisine le sucre brun ou le sucre glace. Qu'on le veuille ou non, on en trouve partout. Les fabricants en ont même rajouté dans les hot-dogs, les céréales pour le petit déjeuner, certains plats cuisinés, les sauces, le ketchup, les chewing-gums...

Le sucre, comme l'amidon, est un hydrate de carbone et une source d'énergie. Un gramme d'hydrates de carbone correspond, comme un gramme de protides, à 4 calories. Le sucre simple (tel qu'une barre de chocolat) constitue un apport énergétique très rapide mais qui ne dure pas longtemps. Le glucose est transporté très vite vers les cellules et y pénètre grâce à l'insuline. On obtient ainsi très rapidement un apport élevé du sucre dans le sang, mais souvent le pancréas se met à sécréter trop d'insuline et détruit ce dont on a besoin. Le taux sanguin s'effondre et on se sent mal. Il est bien plus intelligent de manger des hydrates de carbone à absorption lente comme les pâtes ou le pain qui parviennent plus tardivement dans le sang.

C'est le total des calories, non la proportion de celles qui correspondent au sucre, qui vous fait grossir. Malheureusement les « drogués du sucre » peuvent en ingurgiter en masse et par là même une quantité de calories ! Si vous voulez perdre du poids, il faut aussi que vous perdiez l'habitude de manger du sucre.

Quelques conseils utiles

Il faut avaler au moins huit ou neuf pommes (environ 1,5 kilos) pour obtenir le nombre de calories que l'on trouve dans 120 grammes de chocolat au lait. La pomme est donc plus satisfaisante au poids et au goût. Mangez des fruits !

Lisez attentivement les étiquettes des aliments que vous achetez et faites la chasse au lactose, dextrose, sucrose, fructose, miel, etc. S'ils se trouvent en tête de liste, le produit a certainement une teneur en sucre élevée.

Ne laissez pas de sucrier sur la table. Exercez votre palais à manger sans sucre.

Augmentez vos apports en épices comme la cannelle, le gingembre ou la noix muscade.

Évitez de faire des desserts ou d'en acheter — même s'ils sont en promotion ! Si vous n'en avez pas chez vous, vous ne risquez rien.

Cessez de boire des jus de fruits ou des sodas (ils contiennent jusqu'à huit cuillerées à dessert de sucre par quart de litre).

Attention aux fruits secs, car ils sont particulièrement riches en sucre. Il y a environ quatre cuillerées à dessert de sucre dans cinq abricots secs. Un quart de tasse de raisins correspond à quatre cuillerées pleines.

L'alcool

Il n'y a qu'un seul moment qui ne pousse pas à « boire un verre » : le petit déjeuner.

Le fait de boire de l'alcool est censé rendre gai, détendu, libéré tant dans ses propos que dans ses actes, sociable et prêt à rire pour un rien. Mais comme vous le savez, une « cuite » met complètement à plat. Ce n'est pas drôle du tout.

L'alcool est un liquide fascinant. C'est à la fois une drogue et un hydrate de carbone (les boissons alcoolisées sont obtenues à partir de la fermentation des fruits et des graisses). Sa métabolisation apporte deux fois plus de calories au gramme que l'amidon ou le sucre. L'action de l'alcool est encore plus rapide qu'un coup de pistolet et cela grâce à l'éthanol. L'éthanol agit sur votre organisme par l'intermédiaire de la circulation sanguine. Le foie est en possession des moyens nécessaires à la destruction et à l'élimination de l'éthanol, mais se trouve rapidement (au bout d'une heure environ) bloqué.

Que se passe-t-il alors ? L'éthanol s'étend dans tous les tissus et lorsqu'il atteint le cerveau, on se sent ivre. Prenez quelques millilitres de vodka, de cognac ou de whisky et vous vous sentirez parfaitement bien. Quelques millilitres de plus et vous pouvez rouler sous la table. Avec moins d'un quart de litre, vous êtes officiellement intoxiqué.

Une consommation abusive d'alcool pendant une longue période affaiblit votre organisme. Cela fait trembler, perdre la mémoire et provoque de grands bouleversements pour peu de résultats. La sensibilité cutanée peut être tellement exacerbée que même un effleurement est douloureux. Cela peut aussi retentir sur la coagulation du sang et faire monter la tension artérielle.

De plus, l'alcool est très calorique. On a souvent tendance à en servir une double ration.

Les calories contenues dépendent du degré : un degré d'alcool dans 100 centilitres équivaut à environ 7 calories : une ration de whisky (50 centilitres) : 150 calories ; une ration de pastis (20 centilitres) : 100 calories ; un verre de vin à 10° : 100 calories ; un verre de bière : 50 calories ; un porto (50 centilitres) : 80 calories.

Avec trois whiskies, vous augmentez votre ration alimentaire de près de 500 calories.

Il faut boire avec modération. D'après certains rapports, les buveurs modérés vivent plus longtemps et ont moins d'accidents cardiaques que ceux qui ne boivent pas du tout, ont cessé de boire ou au contraire boivent avec excès.

Quelques conseils utiles

Ne remplacez pas les aliments par des boissons (vin, bière ou spiritueux).

Tout ce qui est gazéifié, et notamment le champagne, est actif encore plus vite : grâce aux bulles.

Lorsque vous vous sentez à plat, un petit verre vous atteindra plus rapidement que lorsque vous êtes en pleine forme.

Un seul verre n'est pas dangereux à condition de choisir une boisson à faible teneur calorique comme une bière ou un vin à faible degré.

Les pilules amaigrissantes : à bas les « coupe-faim »

Quand on a un problème de poids, peut-on trouver mieux qu'une pilule qui vous en débarrassera ? Peu importe la quantité de comprimés que vous absorbez, la graisse s'envole. En fait, ces médicaments sont extrêmement dangereux. Vous perdrez peut-être des kilos, mais vous risquez aussi de perdre la santé.

Ces produits ne sont délivrés que sur ordonnance. On les a surnommés « coupe-faim ». Ce sont des amphétamines. Leur efficacité est liée à l'inhibition du centre nerveux de l'appétit. Cela empêche donc d'avoir faim. Malheureusement, cela n'est pas sans conséquences : dépendance psychologique, troubles mentaux et hypertension artérielle.

Une autre raison pour éviter de prendre ces pilules : elles contiennent souvent de la caféine (environ l'équivalent de deux tasses de café dans un comprimé).

Ces drogues sont rapidement inefficaces : le cerveau s'y accoutume et finit par ignorer leurs messages. La seule façon de maigrir vraiment sur une longue période réside dans le changement des habitudes alimentaires au moyen d'un effort permanent. Je pense que vous avez compris ce message.

Quelques conseils utiles

Même si vous ne ressentez aucun effet secondaire dû à ces médicaments et si vous perdez un peu de poids grâce à ceux-ci, parviendrez-vous à continuer ? Certainement pas.

N'achetez pas ces pilules. N'en lisez même pas les notices. Cela pourrait vous tenter.

Super-forme : vie hygiénique et aliments naturels

Voici une histoire que j'ai lue dans un journal (mais j'ai oublié lequel) : une maman conventionnelle voulait acheter à sa hippie de fille un collier de perles. « Quelle connerie ! », s'exclama celle-ci (ou à peu près en ces termes). « Pourquoi ? s'indigna la mère, ce sont des éléments organiques ! »

Les perles sont organiques, les légumes sont organiques, une mère et sa fille aussi. Le problème est de savoir si les aliments organiques ou naturels sont meilleurs pour la santé que les aliments vendus dans les supermarchés. Certains disent que oui, d'autres comme moi ne le pensent pas. Quand on est suffisamment intelligent pour jeter le sac en plastique qui renferme les épinards avant de les mettre dans l'eau bouillante, on connaît la différence entre ce qui est naturel et ce qui ne l'est pas.

Que veut dire tout ce battage autour des produits naturels ? Il n'existe même pas de définition légale. Le terme naturel signifie qu'il s'agit d'une substance ayant poussé sans pesticides, sans hormones de croissance, ou sans engrais chimiques jusqu'à la cueillette. Personnellement, je ne suis pas particulièrement folle des aliments qui sont badigeonnés de pesticides. Je n'en mange pas et vous non plus d'ailleurs. En effet, les réglementations sont de plus en plus strictes. La quantité des toxiques est donc de plus en plus limitée.

Il est vrai, bien sûr, que la majorité des plats cuisinés perdent des nutriments et que certains aliments contiennent des traces de pesticides et sont conditionnés avec des conservateurs et des additifs. Mais personne n'a encore réussi à prouver que les produits naturels sont réellement meilleurs et plus sûrs.

Les récoltes organiques ne sont pas nécessairement plus nutritives. Une pêche qui a grandi dans un verger industriel avec de l'engrais chimique est au moins aussi nutritive qu'une pêche qui a poussé avec de l'engrais naturel. Leurs qualités nutritionnelles varient en fait selon leur nature, le climat et le moment où elles sont cueillies.

Il existe toute une série de tests qui ont montré que les aliments naturels ont peu de différence, voire aucune, dans le goût, l'apparence et la valeur nutritive avec un produit industriel. Le seul écart, vous l'avez deviné, réside au niveau du prix.

On paie deux à trois fois plus cher que la normale les légumes et les fruits dits naturels. Pourquoi ? Parce que leur culture demande plus de travail aux honnêtes fermiers qui en vivent. La seconde raison n'est pas aussi agraire. Devant l'engouement pour ces produits, certains escrocs font monter les prix d'aliments bien industriels en les dénommant « naturels ».

Autre nouvelle au sujet de ce type de nourriture : celle-ci est fréquemment enrichie en matières grasses, sucre, sel et cholestérol. Mais pourquoi les firmes mettent-elles en avant ce label, comme si la nourriture habituelle n'était pas faite avec de vrais ingrédients ? Parce que cela sonne bien !

Quand on achète un produit naturel, il arrive que cela en soit vraiment un. Parfois, on peut lire noir sur blanc que cela contient des additifs, du sucre, du sel, du glutamate de sodium, des gommes végétales, des huiles partiellement hydrogénées, des colorants...

Les fabricants affirment que tous ces composés sont naturels ou presque... Cela me rappelle Marilyn Monroe, cette beauté « naturelle » avec son nez refait, ses pommettes rehaussées, ses dents remodelées et ses cheveux décolorés !

Quelques conseils utiles

Faire bien attention aux enzymes « naturelles » et autres plantes miraculeuses que l'on vante comme faisant maigrir ou remplaçant certains aliments.

N'achetez aucune protéine lyophillisée ou biscuits de régime sans vous être assuré qu'ils ne sont pas enrichis en matières grasses, sucre, sel ou autres ingrédients. Vous risquez d'absorber plus de calories de façon plus coûteuse.

Une pomme bien ridée dans un magasin diététique n'est pas nécessairement meilleure qu'une autre.

Lisez attentivement toutes les étiquettes des produits naturels.

Cigarettes

Je sais bien que ce livre ne concerne que la diététique. Pourquoi y évoquer le tabac ? Parce que fumer est particulièrement nocif. Malheureusement je continue moi-même à le faire. J'ai pensé que lorsque je serai arrivée à maigrir exactement comme je le veux, au bout du compte, j'arrêterai de fumer. C'est mon prochain objectif.

Avez-vous des idées à me soumettre ?

19.

ALTERNATIVES ET SUBSTITUTS OU L'ART ET LA MANIÈRE DE MANGER UN ŒUF SANS MANGER UN ŒUF

Je sais ce que l'on ressent quand on lit un article conseillant de manger une pomme quand on crève d'envie d'un chocolat liégeois. Seul un individu n'ayant jamais goûté aux délices de ce dessert peut nier ce tourment. Il n'existe aucun produit de substitution au chocolat liégeois, mis à part le café liégeois ! Oubliez l'un et l'autre quand vous êtes au régime (et souvenez-vous que personne n'est mort d'une carence en chocolat).

Vous devriez trouver d'autres aliments que vous pouvez utiliser comme substituts sans trop de chagrin. Cela doit être satisfaisant pour vous dans la mesure où vous économiserez un maximum de calories. Par exemple :

— Il y a 110 calories dans un quart de litre de limonade et 120 dans la même quantité de jus d'orange. Allongez-les avec de l'eau gazeuse qui ne contient aucune calorie.

— Au lieu de manger une part de tarte aux pommes qui équivaut environ à 200 calories, faites cuire une pomme au four saupoudrée de cannelle.

— Les pommes de terre sont bonnes à la santé, mais vous pouvez réduire vos calories en les remplaçant de temps en temps par d'autres légumes.

— Le lait entier contient environ 3 % de lipides, le lait demi-écrémé seulement 1,5 %.

— On trouve 89 calories par tasse de lait écrémé, contre environ 102 pour le lait demi-écrémé et entre 150 et 160 pour le lait entier.

— Remplacez tous les laitages à base de lait entier par des substituts : lait écrémé, yaourt maigre, fromage à 0 % ou 20 % de matière grasse, beurre de régime et margarine allégée (environ trois quarts d'une cuillerée d'huile équivaut à une cuillerée à dessert de beurre).

— Prenez des mayonnaises et des sauces de commerce pour les salades plutôt que d'en faire à la maison.

— Pour remplacer la crème : mélangez une cuillerée de jus de citron et deux cuillerées de lait écrémé avec une tasse de fromage blanc à 0 % de matière grasse.

— Gardez les jaunes d'œufs pour votre chien ou votre chat (ceux-ci sont beaucoup moins exposés que nous aux risques liés à la surcharge en cholestérol). Vous pouvez faire un assaisonnement en battant le blanc d'œuf avec de l'huile d'arachide.

Mais il y a aussi des problèmes saisonniers liés aux périodes de fêtes et où vous avez peur de dépasser les limites allouées par votre régime.

Par exemple Noël. Ce n'est pas seulement une fête religieuse, c'est aussi le moment où la famille se réunit autour d'une dinde aux marrons, d'une bûche glacée, de chocolats, petits fours, etc. C'est également, pour certains, le temps du caviar, du foie gras, des litres de champagne, des tonnes de langoustes !

Et Pâques ? L'agneau pascal ne vient jamais seul mais se trouve toujours associé à de véritables festins.

Les vacances d'été ne sont pas non plus particulièrement propices à la restriction calorique. Au bord de l'eau, on a envie de manger des sandwiches et des glaces plutôt que des steaks-salades. En plus comme il fait chaud, on boit des litres et des litres de jus de fruits, sodas, sirops, etc.

Une autre fois, c'est votre anniversaire. Qu'est-ce

qu'un anniversaire sans un gâteau, une glace et quelques verres ?

Évidemment, je ne vais pas aller jusqu'à vous infliger l'ordre d'arrêter de faire la fête. Essayez simplement de ne plus faire d'association entre ces jours-là et la nourriture, ne vous attendez pas à des agapes. Vous pouvez considérer que ces jours sont voués à la sociabilité et la communication plutôt qu'à faire bombance...

Comment faire correctement un régime, quelle que soit la saison :

— Quand vous êtes invité à une réception, ne sortez pas avant d'avoir mangé. Prenez votre quatrième repas quoi qu'il arrive avant de sortir. Sinon vous risquez de manger tout ce qui est à votre portée, sous prétexte que vous êtes à jeun. Si vous avez pris les devants, en partant le ventre plein, vous n'aurez plus faim.

— Si votre hôtesse insiste pour que vous goûtiez son canard à l'orange fait maison, déclinez poliment cette offre. Si elle continue d'insister, demandez-lui où se trouve l'hôpital le plus proche, et si elle veut une explication, dites-lui que vous êtes allergique au canard et que si vous en mangez, vous risquez la mort. Cela marche à tous les coups.

— Votre régime est votre affaire personnelle. N'en parlez à personne, même en confidence. Il n'est pas question que la conversation démarre à ce sujet, vous risquez d'être mal à l'aise (il y aura toujours quelqu'un pour faire une blague...).

— Si vous avez un dîner que vous ne voulez absolument pas rater et auquel vous voulez goûter, diminuez votre apport calorique quelques heures avant. En grappillant 300 calories par-ci par-là, vous pourrez profiter des délices du gâteau de tante Simone ou de plusieurs parts de fromage sans vous culpabiliser.

— Au lieu de lorgner les petits fours auxquels vous

n'avez pas droit, occupez-vous en aidant la maîtresse de maison ou en vous amusant avec les enfants.

— Rappelez-vous que l'essentiel est d'établir des contacts sociaux et non pas de manger.

— Remplacez les cadeaux comme les chocolats, les fruits confits par quelque chose qui ne se mange pas.

— Ou si vous avez vraiment envie d'offrir une gourmandise, penchez plutôt pour des condiments, par exemple.

— Quand vous faites une pâtisserie, ne léchez pas le bol dans lequel vous l'avez préparée. Attention aux spatules en caoutchouc...

— Annoncez à votre famille que c'est le moment d'inaugurer un menu basses calories pour les vacances : sans crème, sans sucre, sans gâteaux (même faits par votre grand-mère).

— Si on veut vous organiser un repas d'anniversaire, demandez un morceau de filet mignon, une pomme de terre bouillie (sans crème, sans beurre) de la salade verte et comme dessert quelques fraises. Le tout arrosé d'un verre de vin. Total des calories : 500. Pas de gâteau d'anniversaire, cela peut attendre un an.

EN GUISE DE CONCLUSION

Vous avez sans doute déjà entendu parler de la fameuse expérience de Pavlov. Ce savant russe faisait sonner une cloche chaque fois qu'il nourrissait ses chiens. Ceux-ci finissaient par associer le son de la cloche et le moment où ils recevaient la nourriture et, par la suite, le tintement de la cloche tout seul suffisait à les faire saliver. Pavlov avait baptisé ce phénomène « réflexe conditionné ».

Pavlov poussa plus loin l'expérience et apprit à ses chiens à oublier cette association cloche-nourriture. Il faisait sonner la cloche sans donner à manger, et au bout de quelque temps, le son perdit toute signification pour les animaux ainsi « déconditionnés ».

Un conseil : cessez d'obéir aux cloches !

TABLE DES CALORIES

	Quantité	*Cal.*
Airelles	100 g	45
Agneau (viande)	100 g	280
Ananas (en conserve)	1 tranche	50
Ananas (frais)	1 tranche	40
Artichauts	100 g	31
Asperge (une pointe)	1 pointe	4
Aubergines	100 g	31
Avocat	40 g	100
Bacon	30 g	45
Banane	1 moyenne	135
Beurre	10 g	74
Beurre (de régime)	10 g	40
Biscotte	1	40
Bœuf (viande maigre)	100 g	190
Cabillaud	100 g	73
Canard	100 g	334
Camembert	10 g	30
Carottes (cuites)	100 g	46
Céleri	100 g	31
Cerises	100 g	77
Champignons	100 g	30
Cheval	100 g	110
Chou vert	100 g	31
Citron	1 moyen	30
Clémentine	1 moyenne	30
Concombre	1/2	10
Crabe (conserve au naturel)	100 g	100
Crabe frais	100 g	80
Crevettes	100 g	83
Épinards	100 g	30
Escargots	100 g	79

	Quantité	*Cal.*
Foie	100 g	129
Fraises-Framboises	1/2 tasse	25
Fromage blanc 0 %	100 g	50
Gruyère	10 g	40
Haricots verts	100 g	31
Jus de pamplemousse	1 verre	60
Kaki frais	160 g	100
Lait écrémé	1 tasse	90
Langouste	100 g	100
Litchi (frais)	150 g	100
Margarine	10 g	73
Mayonnaise (fraîche)	10 g	72
Mayonnaise (commerce)	10 g	45
Melon	1/4	35
Merlan	100 g	73
Nectarine	1 moyenne	35
Œuf (entier)	1	75
Œuf (blanc)	1	15
Olives vertes	4 moyennes	60
Orange	1 moyenne	80
Pain complet	1 tranche (10 g)	40
Pain de mie	1 tranche	76
Palourdes (cuites)	100 g	79
Pamplemousse	1/2	50
Pâtes (cuites)	100 g	100
Pâtisseries	100 g	282
Pêche	1 moyenne	60
Poireaux	100 g	31
Pomme	1 moyenne	80
Pommes de terre	100 g	84
Porc (viande mi-grasse)	100 g	190
Poulet-lapin	100 g	147
Poire	1 moyenne	120

	Quantité	*Cal.*
Prune	1 moyenne	40
Raisin (grappe)	1 moyenne	90
Riz (cuit)	100 g	115
Saumon (frais)	100 g	200
Sole	100 g	73
Thon (conserve au naturel)	100 g	180
Thon (à l'huile)	10 g	45
Tomates	1 moyenne	30
Truite	100 g	150
Veau (viande mi-grasse)	100 g	180
Whisky	50 cl	160
Yaourt (entier naturel)	1	60

LE JOURNAL DE BORD DU RÉGIME DE MARY ELLEN

INTRODUCTION

Pour moi, tenir le journal de bord de mon régime a toujours été synonyme de copier, cent fois, sur le tableau noir, « je ne parlerai pas en classe ». Je détestais être obligée de le faire et cela ne m'a jamais empêchée de bavarder pendant les cours.

Cette fois-ci, c'est différent. Certains spécialistes ont montré que l'on peut perdre jusqu'à 500 grammes par semaine, uniquement en consignant tout ce que l'on mange sur un carnet.

Comme vous certainement, je n'avais aucune envie de m'y mettre ; mais on ne peut pas toujours avoir ce que l'on veut. Sinon, au lieu d'être une fille dodue née dans le Middle West, j'aurais été un garçon (ils brûlent leurs calories plus vite), je serais née en Alaska (on brûle ses calories plus vite dans les pays froids) et j'aurais été monitrice de ski (c'est un sport qui fait brûler les calories à toute allure et qui met en pleine forme).

Mais cela n'était pas mon cas et, en plus, j'avais au moins trente kilos en trop. J'ai réussi à m'en débarrasser et, pour cela, mon journal de bord m'a aidée.

C'est un complément parfait de mon livre qui raconte comment maigrir à tous les coups :

— Mangez suffisamment et régulièrement. Cela peut même vous aider à brûler les calories !

— Faites régulièrement de l'exercice. J'adore la marche à pied, mais l'aérobic est aussi efficace pour vous mettre en pleine forme et vous faire brûler vos calories bien plus rapidement que tous les gros inactifs.

— Notez tout ce que vous mangez.

— Vous devez absolument manger et avoir, en même temps, une activité physique. Je suis certaine que cela marchera. Maintenant, tournez la page et allez-y.

MANUEL D'UTILISATION DU JOURNAL DE BORD

Vous savez que vous devez consulter un médecin avant d'entreprendre tout régime amaigrissant. Cette fois-ci, allez-y vraiment. Vous en sortirez, au moins, en ayant appris combien vous êtes sage d'avoir choisi un régime à base d'une nourriture saine et d'un programme de mise en forme.

Dans mon programme, j'utilise la marche à pied. Quel que soit le sport que vous pratiquez, vous devez vous astreindre régulièrement à le pratiquer une heure par jour, au moins cinq jours par semaine et sans jamais sauter deux jours d'affilée.

Notez le temps passé à une activité sportive. Cela vous aidera à vous suivre. Vous pouvez planifier votre activité physique en fonction de vos résultats. Si vous découvrez que vous n'allez jamais jusqu'au bout de votre effort le matin, vous devez probablement changer l'heure de votre entraînement.

Notez tout ce que vous mangez. Jusqu'à la dernière cacahuète salée. Même si vous dépassez votre ration. Nous avons laissé suffisamment d'espace vide. Tout écrire vous aidera à vous limiter. Comprendre est la clé de votre réussite.

N'oubliez pas que ce n'est pas pour toujours. Tenez

simplement votre journal jusqu'à ce que vous ayez atteint le but que vous vous êtes fixé.

La première chose à faire : vous peser. Inscrivez ensuite votre poids sous ces lignes. Faites-le avec un très léger coup de crayon si vous souhaitez que personne ne puisse le lire. Allez-y :

Aujourd'hui, je pèse : ______ kg

Vous avez franchi une étape importante.

Voici votre journal de bord :
cela marchera aussi pour vous !

PREMIÈRE SEMAINE

Mary Ellen : « Marchez ! Il vaut mieux s'activer que rouiller. »

BOISSONS-ALIMENTS

	Heure	*Menu*	*Cal.*
Petit déjeuner			
Déjeuner			
Dîner			
Collation			

Total des calories quotidiennes ________

1er jour
Date ____________

ACTIVITÉ PHYSIQUE

	Heure journée	*Durée en minutes*
Marche rapide (ou autre type d'exercice)		

Total des minutes pratiquées chaque jour ________

Conseil : faites plutôt la cuisine à la vapeur. Utilisez, pour cela, un minimum d'eau — suffisamment pour qu'il en reste au fond du récipient de cuisson — et ajoutez quelques gouttes d'eau, de temps en temps, jusqu'à la cuisson.

« Les gros mangeurs et les gros dormeurs sont incapables de faire grand-chose d'autre. » (Henri IV.)

PREMIÈRE SEMAINE

Mary Ellen : « Lorsque vous maigrissez, vous attribuez cela au régime. Lorsque vous reprenez du poids, vous vous accusez. Cessez d'être si dur avec vous. »

BOISSONS-ALIMENTS

	Heure	*Menu*	*Cal.*
Petit déjeuner			
Déjeuner			
Dîner			
Collation			

Total des calories quotidiennes ______

2e jour
Date ______________

ACTIVITÉ PHYSIQUE

	Heure journée	*Durée en minutes*
Marche rapide (ou autre type d'exercice)		

Total des minutes pratiquées chaque jour ________

Conseil : Prenez une tasse de bouillon avant de manger. Des chercheurs de l'université de Pensylvanie ont montré que les individus qui commençaient leur déjeuner ou leur dîner par de la soupe consomment en moyenne 55 calories de moins par repas. Ne remplacez pas le bouillon par un apéritif ou même par une soupe riche en calories.

« On creuse sa tombe avec ses dents. » (Proverbe.)

PREMIÈRE SEMAINE

Mary Ellen : « Regardez votre chien. S'il est gros, c'est que vous n'avez pas assez pratiqué d'activité physique. »

BOISSONS-ALIMENTS

	Heure	*Menu*	*Cal.*
Petit déjeuner			
Déjeuner			
Dîner			
Collation			

Total des calories quotidiennes ______

3e jour
Date ____________

ACTIVITÉ PHYSIQUE

	Heure journée	*Durée en minutes*
Marche rapide (ou autre type d'exercice)		

Total des minutes pratiquées chaque jour ______

Conseil : Pour assurer votre sécurité, quand vous faites de la marche, mettez des bandes adhésives fluorescentes sur les semelles de vos chaussures de sport.

« Le golf est la meilleure façon de gâcher une bonne balade. » (Mark Twain.)

PREMIÈRE SEMAINE

Mary Ellen : « Les restes sont toujours faits des aliments qui font le plus grossir. »

BOISSONS-ALIMENTS

	Heure	*Menu*	*Cal.*
Petit déjeuner			
Déjeuner			
Dîner			
Collation			

Total des calories quotidiennes ________

4e jour
Date ____________

ACTIVITÉ PHYSIQUE

	Heure journée	*Durée en minutes*
Marche rapide (ou autre type d'exercice)		

Total des minutes pratiquées chaque jour ________

Conseil : Avec seulement 60 calories, le yaourt nature et non sucré est un bon en-cas lorsque l'on fait un régime. Si cela ne vous cale pas suffisamment, vous pouvez aussi essayer l'œuf dur (75 calories), mais attention, il ne faut pas non plus en abuser.

« Vivre, c'est aussi riboter. » (Julia Child.)

PREMIÈRE SEMAINE

Mary Ellen : « Il est temps de vous y mettre, si vous ne vous trouvez pas, vous-même, sylphide. »

BOISSONS-ALIMENTS

	Heure	*Menu*	*Cal.*
Petit déjeuner			
Déjeuner			
Dîner			
Collation			

Total des calories quotidiennes ________

5e jour
Date ____________

ACTIVITÉ PHYSIQUE

	Heure journée	*Durée en minutes*
Marche rapide (ou autre type d'exercice)		

Total des minutes pratiquées chaque jour ________

Conseil : Laissez tomber les chips pour des pommes de terre cuites au four. Une portion de chips contient six fois plus de calories, 250 fois plus de sel et 400 fois plus de graisses et coûte au moins dix fois plus cher. Oubliez l'adage qui dit que la peau de la patate comporte la majorité des nutriments : elle est simplement plus riche en fibres. Mangez-la tout entière, vous l'apprécierez.

PREMIÈRE SEMAINE

Mary Ellen : « N'essayez pas de résoudre vos problèmes avec trois biscuits ou un croissant. Laissez les deux pâtés de maisons plus loin… ou à 6 kilomètres. »

BOISSONS-ALIMENTS

	Heure	*Menu*	*Cal.*
Petit déjeuner			
Déjeuner			
Dîner			
Collation			

Total des calories quotidiennes ______

6ᵉ jour
Date ____________

ACTIVITÉ PHYSIQUE

	Heure journée	*Durée en minutes*
Marche rapide (ou autre type d'exercice)		

Total des minutes pratiquées chaque jour ________

Conseil : Quand on suit un régime, il faut surveiller son apport salé. N'oubliez pas qu'il y a du sel presque partout : les plats fumés, salés ou épicés, toutes les conserves, la bière, le pain, les gâteaux, les biscuits, les boissons à base de lait en poudre, le jus de tomate, le fromage, les écorces confites, les fruits candis, le beurre de cacahuètes.

« J'ai deux médecins : ma jambe gauche et ma jambe droite. » (Proverbe américain.)

PREMIÈRE SEMAINE

Mary Ellen : « Il y a bien plus de régimes qui commencent dans les cabinets de toilette que dans les cabinets médicaux. »

BOISSONS-ALIMENTS

	Heure	*Menu*	*Cal.*
Petit déjeuner			
Déjeuner			
Dîner			
Collation			

Total des calories quotidiennes ________

7e jour
Date ____________

ACTIVITÉ PHYSIQUE

	Heure journée	*Durée en minutes*
Marche rapide (ou autre type d'exercice)		

Total des minutes pratiquées chaque jour ________

Conseil : Ce n'est pas parce que vous salez moins votre nourriture qu'elle perd du goût. Servez-vous de toutes les sortes d'herbe : estragon, ciboulette, thym, romarin, basilic... Apprenez à manier les épices : curry, paprika, poivre, cannelle... Mélangez le fromage blanc avec de la ciboulette ou des piments ; les flocons d'avoine avec un soupçon de gingembre, de cannelle et une écorce de citron. Faites mariner des concombres avec du vinaigre d'estragon. Faites des œufs brouillés à la ciboulette ou, pourquoi pas, au fenouil. Bref cuisinez et assaisonnez selon votre humeur mais attention au sel...

DEUXIÈME SEMAINE

Marie Ellen : « Mangez doucement, sans jamais faire d'excès. »

BOISSONS-ALIMENTS

	Heure	*Menu*	*Cal.*
Petit déjeuner			
Déjeuner			
Dîner			
Collation			

Total des calories quotidiennes ________

8ᵉ Jour
Date ____________

Aujourd'hui, je pèse : ______ kg. Cette semaine, j'ai perdu : ______ g.

ACTIVITÉ PHYSIQUE

	Heure journée	*Durée en minutes*
Marche rapide (ou autre type d'exercice)		

Total des minutes pratiquées chaque jour ________

Conseil : Les aliments suivants sont ce qu'il y a de mieux au plan nutritionnel avec les calories les plus basses (les rations sont d'une demi-tasse sauf indiqué) : épinards (20 calories), brocolis (20), carottes (22), laitue (5), asperges (18), melon (1/4 melon = 35 calories), tomates (une entière = 30 calories), champignons (10), haricots verts (15).

« Elle ne pensait qu'à manger. Ils lui montrèrent Orca et elle leur demanda : “ Est-ce que c'est bon avec des légumes ? ” » (Joan Rivers.)

DEUXIÈME SEMAINE

Mary Ellen : « Tout effort s'ajoute. Quand vous marchez un kilomètre la veille et un kilomètre et 100 mètres le lendemain, vous êtes en progrès. »

BOISSONS-ALIMENTS

	Heure	*Menu*	*Cal.*
Petit déjeuner			
Déjeuner			
Dîner			
Collation			

Total des calories quotidiennes ______

9e jour
Date ____________

ACTIVITÉ PHYSIQUE

	Heure journée	*Durée en minutes*
Marche rapide (ou autre type d'exercice)		

Total des minutes pratiquées chaque jour ________

Conseil : Quelques manières d'accommoder la nourriture sans saler : saupoudrez le chou de cumin. Parfumez le poulet avec du poivre vert, du citron, du thym et de la marjolaine, du persil, du paprika, de la sauge. Faites des pommes de terre bouillies à l'ail et au persil, ôtez les épices cuites puis faites une purée en ajoutant du poivre de cayenne, du paprika et encore du persil. Faites revenir les champignons sans friture avec du paprika et du poivre frais.

« La marche à pied est la meilleure activité physique. Entraînez-vous à marcher sur de très longues distances. » (Thomas Jefferson.)

DEUXIÈME SEMAINE

Mary Ellen : « L'une des meilleures façons pour manger moins vite est de se regarder dans un miroir. »

BOISSONS-ALIMENTS

	Heure	*Menu*	*Cal.*
Petit déjeuner			
Déjeuner			
Dîner			
Collation			

Total des calories quotidiennes ________

10ᵉ jour
Date ____________

ACTIVITÉ PHYSIQUE

	Heure journée	*Durée en minutes*
Marche rapide (ou autre type d'exercice)		

Total des minutes pratiquées chaque jour ________

Conseil : Considérez la nourriture comme faisant partie de vous-même. Vous penserez autrement à vos fringales de frites, de mousses au chocolat ou de charlottes aux framboises quand vous vous imaginerez en train de vous balader avec tout ça sur le dos.

« Elle s'installa dans mon plus vaste fauteuil, comme s'il avait été fabriqué par quelqu'un qui savait que la mode, cette saison, serait aux fauteuils moulant les hanches. » (P.G. Woodehouse.)

DEUXIÈME SEMAINE

Mary Ellen : « Mangez par Obsession, Enervement, Stress et jusqu'à l'Etouffement et vous deviendrez O-B-E-S-E ! »

BOISSONS-ALIMENTS

	Heure	*Menu*	*Cal.*
Petit déjeuner			
Déjeuner			
Dîner			
Collation			

Total des calories quotidiennes ______

11ᵉ jour
Date ____________

ACTIVITÉ PHYSIQUE

	Heure journée	*Durée en minutes*
Marche rapide (ou autre type d'exercice)		

Total des minutes pratiquées chaque jour ________

Conseil : En prenant un petit déjeuner, non seulement vous pousserez votre métabolisme à brûler des calories grâce à la digestion, mais vous vous sentirez beaucoup mieux. Dans une enquête, certains médecins ont trouvé que 79 % des patients qui se plaignaient de fatigue permanente et de rétention d'eau sautaient leur petit déjeuner.

« Aucune horloge n'est plus exacte que le ventre. » (Rabelais.)

DEUXIÈME SEMAINE

Mary Ellen : « Avec une tranche de gâteau, on jeûne. (Que vous croyez !) »

BOISSONS-ALIMENTS

	Heure	*Menu*	*Cal.*
Petit déjeuner			
Déjeuner			
Dîner			
Collation			

Total des calories quotidiennes ________

12ᵉ jour
Date ____________

ACTIVITÉ PHYSIQUE

	Heure journée	*Durée en minutes*
Marche rapide (ou autre type d'exercice)		

Total des minutes pratiquées chaque jour ________

Conseil : Manger des aliments diététiques ne signifie pas pour autant que l'on fait un régime. Il suffit de faire un choix judicieux. Un huitième d'une pizza surgelée de taille moyenne contient autant de calories (145) et de graisses (25 %) qu'une tasse de yaourt nature.

« Peu importe le type de régime que vous suivez, vous pouvez très bien manger à volonté de ce que vous détestez. » (Walter Slezak.)

DEUXIÈME SEMAINE

Mary Ellen : « Pour réussir un régime, il suffit d'avoir l'esprit au-dessus des plats. »

BOISSONS-ALIMENTS

	Heure	*Menu*	*Cal.*
Petit déjeuner			
Déjeuner			
Dîner			
Collation			

Total des calories quotidiennes ________

13ᵉ jour
Date ____________

ACTIVITÉ PHYSIQUE

	Heure journée	*Durée en minutes*
Marche rapide (ou autre type d'exercice)		

Total des minutes pratiquées chaque jour ________

Conseil : Une côtelette d'agneau pesant 150 grammes contient 308 calories. Sans la graisse, ce chiffre passe à 120. Un régime raisonnable doit être riche en hydrates de carbone et en protéines, faible en graisses. Celles-ci (dans la viande, l'huile, le beurre et les oléagineux) sont composées de neuf calories par gramme tandis que les protéines et les hydrates de carbone n'en contiennent que 4.

« Nos corps sont les jardins dont nos volontés sont les jardiniers. » (Shakespeare.)

DEUXIÈME SEMAINE

Mary Ellen : « Le jour où j'ai décidé de surveiller ma taille, je n'arrivais déjà plus à la voir d'un seul coup d'œil. »

BOISSONS-ALIMENTS

	Heure	*Menu*	*Cal.*
Petit déjeuner			
Déjeuner			
Dîner			
Collation			

Total des calories quotidiennes ________

14e jour
Date ____________

ACTIVITÉ PHYSIQUE

	Heure journée	*Durée en minutes*
Marche rapide (ou autre type d'exercice)		

Total des minutes pratiquées chaque jour ________

Conseil : Prenez toujours la meilleure catégorie de bœuf, car c'est elle qui contient le moins de graisse. Faites-la cuire sur le gril, pour garder le maximum de saveur et de jus.

« Chez elle, au plus secret de son moi, la nourriture avait goût de péché ou de punition. Parfois, elle se réveillait la nuit, pas assez coupable, et s'il lui restait quelque force pour se lever, s'abîmer un peu plus, elle roulait jusqu'à la cuisine pour s'enfoncer dans l'impureté, être encore plus concrète, perdre son âme dans un demi-camembert, et plus sûrement dans le sucre, péché enrubanné du monde occidental. » (Marie-Louise Audiberti.)

TROISIÈME SEMAINE

Mary Ellen : « Ne me dites pas que vous êtes trop gros pour avoir une activité physique. Les baleines pèsent des tonnes et peuvent faire des bonds hors de l'eau de plus de 50 mètres de haut. »

BOISSONS-ALIMENTS

	Heure	*Menu*	*Cal.*
Petit déjeuner			
Déjeuner			
Dîner			
Collation			

Total des calories quotidiennes ______

15ᵉ Jour
Date ____________

Aujourd'hui, je pèse : ______ kg. Cette semaine, j'ai perdu : ______ g.

ACTIVITÉ PHYSIQUE

	Heure journée	*Durée en minutes*
Marche rapide (ou autre type d'exercice)		

Total des minutes pratiquées chaque jour ________

Conseil : Le beurre, la margarine et l'huile sont des produits « à risques » quand on suit un régime et il vaut mieux les manger en petites quantités. Ils possèdent autour de 125 calories par cuillerée à soupe — presque 2 000 par tasse. Accommodez vos légumes avec du citron plutôt que du beurre et du sel. Les citrons se conservent longtemps : ils font partie des rares fruits qui mûrissent mieux cueillis que sur l'arbre.

« En résumé : Marchez et soyez heureux. Marchez et soyez en pleine forme. » (Charles Dickens.)

TROISIÈME SEMAINE

Mary Ellen : « Quand on est au régime, ce que l'on a de mieux à faire : manger moins. »

BOISSONS-ALIMENTS

	Heure	*Menu*	*Cal.*
Petit déjeuner			
Déjeuner			
Dîner			
Collation			

Total des calories quotidiennes ________

16ᵉ jour
Date ____________

ACTIVITÉ PHYSIQUE

	Heure journée	*Durée en minutes*
Marche rapide (ou autre type d'exercice)		

Total des minutes pratiquées chaque jour ________

Conseil : Ne croyez pas que les cacahuètes de régime sont moins caloriques que les autres. Il y a seulement une dizaine de calories de différence entre ces deux variétés. Vous devez absolument les éviter.

« Définition des cocktails diététiques : un mélange de poudre et d'eau qui a exactement le goût d'une poudre mélangée avec de l'eau ! » (Art Buchwald.)

TROISIÈME SEMAINE

Mary Ellen : « En ôtant vos boucles d'oreilles en diamant et vos verres de contact, quand vous montez sur la balance, vous avez peu de chances d'en tirer avantage. »

BOISSONS-ALIMENTS

	Heure	*Menu*	*Cal.*
Petit déjeuner			
Déjeuner			
Dîner			
Collation			

Total des calories quotidiennes ______

17e jour
Date ____________

ACTIVITÉ PHYSIQUE

	Heure journée	*Durée en minutes*
Marche rapide (ou autre type d'exercice)		

Total des minutes pratiquées chaque jour ________

Conseil : Les plats épicés sont connus pour stimuler l'appétit pour les douceurs. Mangez votre salade à la fin du repas, cela devrait vous empêcher d'avoir de telles envies.

« On ne se repent jamais d'avoir trop peu mangé. » (Thomas Jefferson.)

TROISIÈME SEMAINE

Mary Ellen : « Larguez vos conserves, mais conservez votre bonhomme. »

BOISSONS-ALIMENTS

	Heure	*Menu*	*Cal.*
Petit déjeuner			
Déjeuner			
Dîner			
Collation			

Total des calories quotidiennes ________

18e jour
Date ____________

ACTIVITÉ PHYSIQUE

	Heure journée	*Durée en minutes*
Marche rapide (ou autre type d'exercice)		

Total des minutes pratiquées chaque jour ________

Conseil : En remplaçant un biscuit par une petite tranche de pain, vous économiserez une quarantaine de calories. Les biscuits contiennent en effet plus de lipides que le pain normal.

« Un surpoids ne peut rendre un homme heureux que lorsqu'il le voit sur une fille qu'il a failli épouser. » (Dr A.O. Battista.)

TROISIÈME SEMAINE

Mary Ellen : « Il est plus facile de créer un nouveau corps que de rectifier les défauts d'un ancien. »

BOISSONS-ALIMENTS

	Heure	*Menu*	*Cal.*
Petit déjeuner			
Déjeuner			
Dîner			
Collation			

Total des calories quotidiennes ______

19e jour
Date ____________

ACTIVITÉ PHYSIQUE

	Heure journée	*Durée en minutes*
Marche rapide (ou autre type d'exercice)		

Total des minutes pratiquées chaque jour ________

Conseil : Une pensée à vous glacer le sang : tous les individus qui ont un problème de poids gagnent au moins trois kilos par hiver, parce que c'est une saison où l'on mange plus pour avoir chaud et où l'on se dépense moins physiquement. Pourtant si l'on a une véritable activité physique, on est gagnant : le corps doit effectuer un travail plus important pour rester à une température correcte et cela permet de brûler des calories supplémentaires.

« Quand on n'a pas le temps de faire de l'exercice, un jour viendra où l'on trouvera le temps de tomber malade. » (Proverbe américain.)

TROISIÈME SEMAINE

Mary Ellen : « Cessez de vous plaindre que vous êtes plus lourd par les jours de pluie sous prétexte que vous avez les cheveux mouillés. »

BOISSONS-ALIMENTS

	Heure	*Menu*	*Cal.*
Petit déjeuner			
Déjeuner			
Dîner			
Collation			

Total des calories quotidiennes ________

20ᵉ jour
Date ______________

ACTIVITÉ PHYSIQUE

	Heure journée	*Durée en minutes*
Marche rapide (ou autre type d'exercice)		

Total des minutes pratiquées chaque jour ________

Conseil : Ne profitez pas d'un voyage en avion pour laisser votre apport en calories s'envoler. Préparez un pique-nique d'environ 300 calories : une pomme, deux carottes, un œuf dur, 10 g de fromage à pâte dure et une biscotte. Vous pouvez aussi essayer de commander un plateau de régime, mais c'est plus aléatoire !

« L'obésité est vraiment quelque chose de trop commun. » (Orson Welles.)

TROISIÈME SEMAINE

Mary Ellen : « Toutes celles qui suivent un régime attendent avec impatience de voir leurs hanches s'effacer. »

BOISSONS-ALIMENTS

	Heure	*Menu*	*Cal.*
Petit déjeuner			
Déjeuner			
Dîner			
Collation			

Total des calories quotidiennes ________

21ᵉ jour
Date ____________

ACTIVITÉ PHYSIQUE

	Heure journée	*Durée en minutes*
Marche rapide (ou autre type d'exercice)		

Total des minutes pratiquées chaque jour ________

Conseil : Non seulement les fruits et les légumes sont intéressants sur le plan nutritionnel et faibles en calories, mais leurs fibres permettent d'alléger certains aliments en modifiant leur digestion.

« En chaque obèse est emprisonné un petit être qui ne rêve qu'à sa libération. » (Cyril Vernon Connelly.)

QUATRIÈME SEMAINE

Mary Ellen : « Être gros coûte beaucoup plus cher qu'être mince et en forme. »

BOISSONS-ALIMENTS

	Heure	*Menu*	*Cal.*
Petit déjeuner			
Déjeuner			
Dîner			
Collation			

Total des calories quotidiennes ________

22e Jour
Date ______________

Aujourd'hui, je pèse : _____ kg. Cette semaine, j'ai perdu : _____ g.

ACTIVITÉ PHYSIQUE

	Heure journée	*Durée en minutes*
Marche rapide (ou autre type d'exercice)		

Total des minutes pratiquées chaque jour __________

Conseil : Le fromage blanc, qui est souvent une des ressources des personnes qui suivent un régime, n'est ni peu calorique ni une bonne source de calcium. Il faut environ 100 grammes de fromage blanc — soit environ 200 calories pour le fromage maigre — pour fournir l'équivalent calcique d'un quart de litre de lait écrémé soit 90 calories. Vous pouvez néanmoins l'utiliser pour remplacer la crème fraîche dans certaines sauces.

« La plupart des gens mangent comme s'ils devaient s'engraisser pour être vendus au marché. » (Mark Twain.)

QUATRIÈME SEMAINE

Mary Ellen : « Si vous voulez réellement perdre un kilo, ne vous mettez pas au régime en pensant : que va-t-il m'arriver ? au lieu de : quoi donc manger ? »

BOISSONS-ALIMENTS

	Heure	*Menu*	*Cal.*
Petit déjeuner			
Déjeuner			
Dîner			
Collation			

Total des calories quotidiennes ______

23ᵉ jour
Date ____________

ACTIVITÉ PHYSIQUE

	Heure journée	*Durée en minutes*
Marche rapide (ou autre type d'exercice)		

Total des minutes pratiquées chaque jour ________

Conseil : Qu'est-ce qui est le plus gras : une cuillerée à soupe de crème fouettée ou une cuillerée à dessert d'huile de maïs ? Surprise : l'huile de maïs contient 126 calories, la crème seulement 50 parce qu'elle comporte plus d'eau. Moralité : n'essayez plus d'inventer vos comptes en calories.

« Aucun obèse ne pourra jamais être élu président des États-Unis. » (Daniel Greenberg, éditorialiste au *Washington Post.*)

QUATRIÈME SEMAINE

Mary Ellen : « Se placer n'est pas un placement. Vous pouvez réussir mais vous ne vous sentirez pas à l'aise tant que vous aurez besoin d'aide. »

BOISSONS-ALIMENTS

	Heure	*Menu*	*Cal.*
Petit déjeuner			
Déjeuner			
Dîner			
Collation			

Total des calories quotidiennes ______

24e jour
Date ____________

ACTIVITÉ PHYSIQUE

	Heure journée	*Durée en minutes*
Marche rapide (ou autre type d'exercice)		

Total des minutes pratiquées chaque jour ________

Conseil : Pour faire des sauces basses calories, remplacez les épaississants comme la farine par de la purée de légumes. Faites bouillir des légumes à chair blanche comme des oignons, des champignons de Paris, du fenouil ou des poireaux. Si besoin, tamisez-les pour enlever les fibres.

« Les comédiens devraient sauter plusieurs repas avant une scène d'amour. Il est impossible de différencier le visage d'un homme qui a faim de celui d'un homme amoureux. » (José Ferrer.)

QUATRIÈME SEMAINE

Mary Ellen : « Commencez à porter des robes ceinturées. Les robes sans taille donnent l'air d'un kangourou dont tous les petits se trouveraient dans la poche. »

BOISSONS-ALIMENTS

	Heure	*Menu*	*Cal.*
Petit déjeuner			
Déjeuner			
Dîner			
Collation			

Total des calories quotidiennes ______

25ᵉ jour
Date ____________

ACTIVITÉ PHYSIQUE

	Heure journée	*Durée en minutes*
Marche rapide (ou autre type d'exercice)		

Total des minutes pratiquées chaque jour ________

Conseil : Si vous désirez vraiment manger une douceur, faites une glace au citron en mélangeant trois ou quatre glaçons, un peu de jus de citron et de la saccharine en poudre.

« Dès que j'ai eu une belle paire de fesses, ce n'était plus à la mode. » (Erma Bombeck.)

QUATRIÈME SEMAINE

Mary Ellen : « Il est encore plus fatigant de ne rien faire que d'avoir une activité : on ne peut pas laisser tomber ce qu'on est en train de faire pour se reposer ! »

BOISSONS-ALIMENTS

	Heure	*Menu*	*Cal.*
Petit déjeuner			
Déjeuner			
Dîner			
Collation			

Total des calories quotidiennes ______

26e jour
Date ____________

ACTIVITÉ PHYSIQUE

	Heure journée	*Durée en minutes*
Marche rapide (ou autre type d'exercice)		

Total des minutes pratiquées chaque jour ________

Conseil : La position assise demande 1,4 calorie par minute. La position debout en consomme seulement 1,7. Cela ne vaut pas la peine de se fatiguer à rester debout !

« Les individus incapables de performances à la course à pied sont nombreux. Ce sont leurs pieds qui les abandonnent. Ils ont pourtant envie de continuer, mais leurs pieds ne demandent qu'à jeter l'éponge. » (Bruce Jay Friedman.)

QUATRIÈME SEMAINE

Mary Ellen : « Ce sont vos amis qui, en premier, vous trouveront mince et non votre miroir. Vous mettrez un certain temps à vous habituer à votre nouvelle apparence. »

BOISSONS-ALIMENTS

	Heure	*Menu*	*Cal.*
Petit déjeuner			
Déjeuner			
Dîner			
Collation			

Total des calories quotidiennes ________

27e jour
Date ____________

ACTIVITÉ PHYSIQUE

	Heure journée	*Durée en minutes*
Marche rapide (ou autre type d'exercice)		

Total des minutes pratiquées chaque jour ________

Conseil : Au petit déjeuner, remplacez un croissant qui vous apportera 250 calories d'un seul coup, par un yaourt et demi nature qui ne contient que 100 calories et vous fournira des protéines et du calcium.

« Elle portait mal ses kilos en trop. » (H.G. Wells.)

QUATRIÈME SEMAINE

Mary Ellen : « Si vous pensez ne pas arriver à affronter une journée de plus, essayez toujours de la sauter ! »

BOISSONS-ALIMENTS

	Heure	*Menu*	*Cal.*
Petit déjeuner			
Déjeuner			
Dîner			
Collation			

Total des calories quotidiennes ______

28ᵉ jour
Date ____________

ACTIVITÉ PHYSIQUE

	Heure journée	*Durée en minutes*
Marche rapide (ou autre type d'exercice)		

Total des minutes pratiquées chaque jour ________

Conseil : Les produits dits diététiques ont un certain intérêt nutritionnel, mais peuvent complètement bouleverser un régime hypocalorique. Les fruits secs apportent environ 300 calories pour 100 grammes, tandis que frais ils n'en contiennent pas plus d'une soixantaine pour le même poids. Une demi-tasse de crème glacée à la vanille comporte 80 calories de moins qu'un quart de litre de yaourt aux fruits naturels (bien qu'il y ait plus de lipides dans la glace).

« On peut apprécier le moral d'une femme au nombre de pantalons de tailles différentes qui se trouvent dans ses placards. » (Gail Parent.)

28e jour
Date ____

ACTIVITÉ PHYSIQUE

Durée en minutes	Heure journée	
		Marche rapide
		[illegible]
		Vélo
		Exercice

Total des minutes pratiquées chaque jour ____

Conseil : Les produits diététiques ont un certain intérêt [illegible], mais peuvent complètement bouleverser un régime hypocalorique. Les fruits secs procurent environ 300 calories pour 100 grammes, tandis que [illegible] n'en contiennent pas plus d'une soixantaine pour le même poids. Une demi-tasse de crème glacée à la vanille comporte 20 calories de moins qu'un quart de litre de yaourt aux fruits naturels (bien qu'il y ait plus de lipides dans la glace).

« On peut apprécier le moral d'une semaine au nombre de pantalons de taille différente qui se trouvent dans les placards. » Gail Parent.

TABLE DES MATIÈRES

PREMIÈRE PARTIE
A L'AIDE : MON HISTOIRE

DEUXIÈME PARTIE
LE PROGRAMME

TROISIÈME PARTIE
DERNIERS CONSEILS

LE JOURNAL DE BORD DU RÉGIME DE MARY ELLEN

ACHEVÉ D'IMPRIMER LE 12 AVRIL 1985 SUR LES PRESSES
DE L'IMPRIMERIE HÉRISSEY À ÉVREUX (EURE)
POUR LES ÉDITIONS ROBERT LAFFONT

N° d'édition : L 343 — N° d'impression : 36569 — Dépôt légal : mai 1985

Imprimé en France